Les mystères romains

Les gladiateurs de l'empereur

Titre original : *The Gladiators from Capua*
First published in Great Britain in 2004
by Orion Children's Books
a division of the Orion Publishing group Ltd
Orion House, Upper St Martin's lane, London WC2H 9EA
Copyright © Caroline Lawrence 2004
Maps by Richard Russell Lawrence
© Orion Children's Books 2004
The right of Caroline Lawrence to be identified
as the author of this work has been asserted.

Pour l'édition française :
© 2006, Éditions Milan pour le texte et l'illustration
300, rue Léon-Joulin, 31101 Toulouse Cedex 9, France
ISBN : 978-2-7459-1824-6

Loi 49-956 du 16 juillet 1949
sur les publications destinées à la jeunesse
www.editionsmilan.com

CAROLINE LAWRENCE

Les mystères romains

Les gladiateurs de l'empereur

Traduit de l'anglais par
Alice Marchand

MiLaN PoChe
HISTOIRE

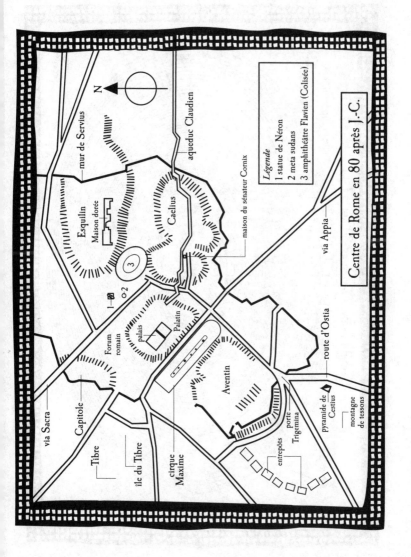

Centre de Rome en 80 après J.-C.

N

via Sacra

Capitole

Tibre

ile du Tibre

cirque Maxime

Forum romain

palais

Palatin

Aventin

porte Trigemina

entrepôts

pyramide de Cestius

montagne de tessons

route d'Ostia

via Appia

maison du sénateur Cornix

Caelius

Esquilin

Maison dorée

mur de Servius

aqueduc Claudien

Légende
1 statue de Néron
2 meta sudans
3 amphithéâtre Flavien (Colisée)

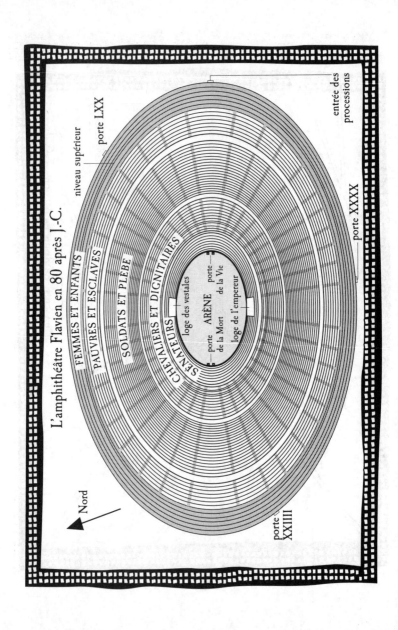

L'amphithéâtre Flavien en 80 après J.-C.

Nord

niveau supérieur

porte LXX

FEMMES ET ENFANTS

PAUVRES ET ESCLAVES

SOLDATS ET PLÈBE

CHEVALIERS ET DIGNITAIRES

SÉNATEURS

loge des vestales

porte de la Mort

ARÈNE

porte de la Vie

loge de l'empereur

porte XXXX

porte XXIIII

entrée des processions

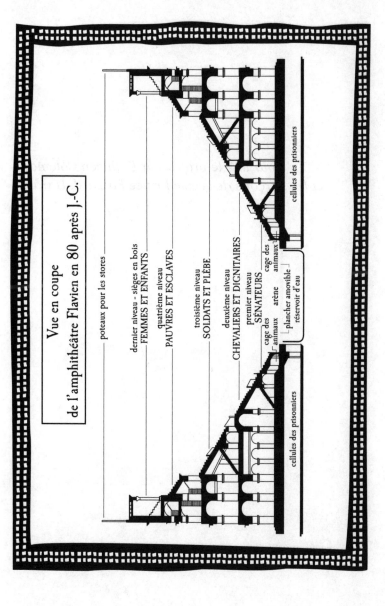

Vue en coupe
de l'amphithéâtre Flavien en 80 après J.-C.

poteaux pour les stores

dernier niveau - sièges en bois
FEMMES ET ENFANTS

quatrième niveau
PAUVRES ET ESCLAVES

troisième niveau
SOLDATS ET PLÈBE

deuxième niveau
CHEVALIERS ET DIGNITAIRES

premier niveau
SÉNATEURS

cage des
animaux

arène

cage des
animaux

plancher amovible
réservoir d'eau

cellules des prisonniers

cellules des prisonniers

*Pour Mme le professeur Kathleen Coleman
et les garçons de l'école Prince Edward, Harare*

Le jeune gladiateur, debout sur le sable brûlant, appuie la pointe de son poignard sur la gorge de son adversaire. Le secutor* est à genoux. Cassé, son bras gauche pend inutilement sur son flanc. Son bras droit est tout rouge, couvert de sang à cause des trois trous percés par le trident. Le filet qui l'a fait tomber est toujours emmêlé dans ses pieds et, derrière les petites ouvertures du casque, il roule des yeux terrorisés.

Le retiarius* s'apprête à effectuer sa première exécution.

Severus, le lanista[1], se tient à proximité. Il observe attentivement.

– Mes hommes ont donné un spectacle pour Néron*, un jour, dit-il d'un ton badin. L'un d'eux, un murmillo[2], n'a pas pu trancher la gorge de son

---

* Les mots ou groupes de mots suivis d'un astérisque sont expliqués en fin de volume.
1. Entraîneur de gladiateurs. Il les exerce à combattre dans l'arène et loue leurs services à l'extérieur.
2. Gladiateur qui combattait généralement un hoplomachus ou un Thrace ; il avait le bras droit et la jambe gauche protégés, un grand bouclier rectangulaire, un casque à larges bords et une courte épée.

adversaire, alors que l'empereur l'exigeait. C'était sa première exécution, et il n'a pas pu. Néron était tellement furieux qu'il a jeté mes hommes aux lions. Tous sans exception. Trente-deux gladiateurs* entraînés, y compris Pulcher, qui n'avait plus qu'un combat à mener pour gagner l'épée de bois et la liberté. Voilà pourquoi je vérifie toujours que mes hommes sont capables de tuer avant de les envoyer dans l'arène.

Le retiarius hoche la tête, prend une profonde inspiration et agite le poignard, mais ne donne toujours pas le coup fatal. Un bruit étouffé jaillit du casque. Le secutor gémit comme un animal blessé.

À cet instant, le retiarius se rappelle la première fois qu'il a tué un être vivant. Il venait de recevoir un arc et des flèches pour ses huit ans. Il avait accompagné son père à la chasse et avait tiré sur un jeune blaireau. Mais l'animal n'était pas mort aussitôt. Il s'était mis à courir en cercle, en gémissant lamentablement; son sang se répandait sur le sol devant l'enfant. Le retiarius se souvient qu'il était horrifié à l'idée d'avoir infligé une telle souffrance à un être vivant; il voulait le bercer dans ses bras et le soigner.

– Papa, arrête-le. S'il te plaît, arrête-le.

– Gros bébé!

La gifle était si forte qu'elle avait fait sonner ses oreilles pendant des heures. Mais à partir de ce jour-là, son père l'avait laissé s'occuper des chèvres et ne l'avait plus jamais emmené à la chasse.

Les Romains étaient arrivés quelques années plus tard. Certains membres de sa famille avaient été tués, d'autres vendus comme esclaves*.

Et il s'était retrouvé ici.

– Être un gladiateur, c'est ta meilleure chance de retrouver la liberté, dit Severus. La liberté avec, en prime, la richesse et la gloire. Tu es doué. Tu as toutes les chances d'y arriver. Mais tu ne peux pas être gladiateur si tu n'es pas capable de tuer.

Le retiarius regarde le couteau qu'il a dans les mains. Tout ce qu'il a à faire, c'est le pousser en travers de cette gorge palpitante. D'un geste vif.

– Tue-le! Tue-le! entonnent ses compagnons gladiateurs.

Les uns l'encouragent, d'autres se moquent de lui.

Severus reprend la parole et, cette fois, sa voix a perdu tout son calme:

– Par Jupiter[1], fais-le, mon vieux! Je lui ai laissé son casque. Tu n'as même pas besoin de voir sa tête. Si tu ne le tues pas, je te jure que je te vendrai à la première personne qui me fera une proposition.

---

1. Roi des dieux romains, mari de Junon, frère de Pluton et de Neptune.

Le *secutor* gémit toujours comme un animal blessé. Le jeune *retiarius* secoue la tête et jette son poignard. Ses genoux craquent quand il se redresse.

– Je n'aime pas tuer, dit-il. J'ai horreur du sang.

L'homme à genoux sanglote de soulagement.

– *Imbécile !* hurle Severus. Tu sacrifies un avenir glorieux ! Par tous les dieux, c'est vrai que tu es une tête de pioche !

– Je préfère être une tête de pioche qu'un tueur, réplique le *retiarius*.

Et il sort de l'arène.

Devant l'enceinte de la ville d'Ostia[1], Nubia, une jeune fille noire, posait une couronne de fleurs sauvages sur la tombe de son ami Jonathan.

Ce n'était pas une vraie tombe, car il n'y avait pas de corps. Jonathan était mort dans le terrible incendie qui avait ravagé Rome un mois plus tôt[2] et sa dépouille était enterrée dans une fosse commune avec des centaines d'autres.

Chez eux à Ostia, le port de Rome, le père de Jonathan avait payé un tailleur de pierre pour inscrire le nom de son fils sur le caveau familial. Mais

---

1. Port situé à une trentaine de kilomètres au sud-ouest de Rome, Ostia est la ville natale de Flavia.
2. Voir *Les mystères romains*, tome 7 : *Les ennemis de Jupiter*.

leur caveau se trouvait parmi les autres tombes juives de l'Isola Sacra*, à près de cinq kilomètres de là.

Nubia et ses amis voulaient un mémorial plus proche pour Jonathan.

Voilà pourquoi, une nuit de pleine lune, ils étaient sortis en catimini pour emporter un bloc de marbre inutilisé qu'ils avaient trouvé à côté de la synagogue. Le soleil se levait quand ils avaient déchargé la lourde pierre de la charrette qu'ils avaient empruntée.

Une semaine avait passé. À présent, Nubia étudiait l'inscription que Flavia avait peinte sur le bord du bloc de marbre fissuré :

DM

IONATANO B. MORDECAE

FLAVIA ET NVBIA ET LVPVS

AMICI AMICO BENE MERENTI

POSVERVNT

Malgré le soleil qui brillait en cette matinée de mars, Nubia frissonna et resserra sa cape en peau de lion sur ses épaules. Elle savait que DM signifiait *dis manibus* : « aux esprits du monde souterrain ». Le reste voulait dire : « À Jonathan, fils de Mordecaï. Ses amis Flavia, Nubia et Lupus ont posé cette pierre pour lui, leur valeureux ami. »

Sur la tombe, il y avait aussi un portrait, peint par Lupus. Leur jeune ami s'était volatilisé. Les fugues de Lupus n'étaient pas rares, mais cette fois, contrairement à l'habitude, il avait disparu depuis une semaine entière et n'était toujours pas revenu.

Nubia écarta ses inquiétudes au sujet de Lupus et se concentra sur le portrait de Jonathan.

Il représentait un beau garçon au visage carré, au teint mat et aux cheveux noirs et bouclés. Lupus avait posé un minuscule point de peinture blanche sur chaque œil pour leur donner l'air vivant. Le garçon du portrait semblait vraiment regarder Nubia.

– Il est temps de commencer l'oraison funèbre, déclara Flavia Gemina, et elle déroula un morceau de papyrus[1].

Nubia se tourna vers son ancienne maîtresse et attendit. Flavia aurait bientôt onze ans. Les cheveux châtain clair et les yeux gris, elle n'était pas précisément jolie, mais sa personnalité le faisait oublier. Dans ses bons moments, Flavia était extrêmement intelligente, sûre d'elle et courageuse. Dans les mauvais, elle était autoritaire, impétueuse et égoïste. Mais elle avait bon cœur. Elle avait acheté Nubia pour la sauver d'un sort pire que la mort, puis l'avait affranchie* au bout de quelques mois.

– Jonathan ben Mordecaï était notre ami, commença Flavia de sa voix claire. Il était drôle et il adorait le miel. Il avait de l'asthme et connaissait tous

---

1. Matière la plus utilisée et la moins chère, sur laquelle on pouvait écrire, fabriquée à partir d'une plante égyptienne.

les psaumes par cœur. Il était doué pour la chasse et très courageux. Un jour, il m'a sauvée d'une meute de chiens sauvages qui m'avaient piégée en haut d'un arbre[1].

Flavia ouvrit le bras gauche dans un geste théâtral.

– C'était dans ce chêne-là, justement, en bordure de ce bosquet.

Elle regarda Nubia et les trois chiens assis à leurs pieds, langue pendante.

– Je tenais à ce qu'on voie cet arbre depuis sa tombe. Ce fut l'un de ses grands moments d'héroïsme.

Nubia hocha solennellement la tête et Scuto, le chien de Flavia, remua la queue.

– Jonathan était un garçon réaliste, poursuivit Flavia en reprenant son rouleau*. Il voyait le côté sombre de la vie et, parfois, ça le déprimait. Mais il était quand même très optimiste. Quand il a découvert que sa mère n'était pas morte lors du siège de Jérusalem et qu'elle était peut-être esclave au palais impérial, il s'est rendu à Rome, courageusement, pour se mettre à sa recherche. Et il a réussi. Il l'a retrouvée et il l'a sauvée. Mais il n'a jamais vu les fruits de son courage…

Elle s'interrompit et Nubia vit des larmes monter aux yeux de son amie.

1. Voir *Les mystères romains*, tome 1 : *Du sang sur la via Appia*.

– Tu n'as jamais vu ton rêve se réaliser, chuchota Flavia au portrait peint sur le bloc de marbre. Tu n'as jamais connu la joie de voir ton père et ta mère réunis. Et… oh, Jonathan ! Tu aurais dû voir ça, quand Miriam et ta mère se sont tombées dans les bras en sanglotant ! Elles ont ri et pleuré en même temps, puis elles sont allées dans le jardin et elles ont parlé pendant des heures et des heures. Tout serait parfait, si seulement tu n'étais pas mort…

La voix de Flavia fut entrecoupée par un sanglot.

Quand elle parvint à maîtriser son émotion, elle reprit :

– Nous sommes venues te dire au revoir, Jonathan. Tes parents ne sont pas là, car ils ignorent l'existence de cette tombe. Et ta sœur est rentrée chez elle. Quant à Lupus, il a disparu la semaine dernière ; nous ne savons pas pourquoi. Mais nous sommes venues te dire adieu, Nubia et moi.

– Et les chiens, ajouta Nubia.

– Et les chiens, répéta Flavia.

Puis elle ajouta :

– Nubia va commencer.

Son amie secoua la tête.

– C'est Tigris qui va commencer. Il m'a indiqué quoi dire…

Les yeux gris de Flavia s'écarquillèrent de surprise, mais elle se contenta de hocher la tête.

Nubia regarda Tigris à ses pieds et lui posa doucement la main sur la tête. Le grand chiot noir leva les yeux vers elle, en haletant calmement, puis tourna la tête vers la petite tombe.

Nubia prit la parole :

– Où es-tu, maître ? Tu m'as dit de rester ici et d'être un bon chien, et j'ai essayé. Je ne mâche plus la botte préférée de ton père. Je ne vole plus de nourriture à la cuisine. Je fais toujours mes besoins dans le jardin, maintenant, et plus dans le bureau. Alors pourquoi tu ne reviens pas ?

Nubia inspira profondément et poursuivit :

– Jour après jour, je reste couché dans l'atrium[1] à t'attendre, la tête posée sur mes pattes. Chaque fois que j'entends quelqu'un approcher dans la rue, je dresse les oreilles pour écouter très attentivement. Mais je n'aboie pas, parce que ce n'est jamais toi. Tu ne reviens pas et tu me manques. Et je me demande sans arrêt : si tu ne rentres pas à la maison, est-ce parce que j'ai été un mauvais chien ?

– Oh, Tigris ! s'écria Flavia.

Elle tomba à genoux devant le grand chiot et lui jeta les bras autour du cou.

– Ce n'est pas ta faute, Tigris ! Jonathan t'aimait plus que tout au monde. Tu es un bon chien.

---

1. Pièce où l'on recevait les hôtes. Elle n'avait en général pas de toit et possédait un bassin pour recueillir les eaux de pluie.

Tigris agita la queue, l'air incertain, puis regarda la tombe en gémissant.

Flavia se releva et essuya ses larmes du revers de la main.

– À ton tour, maintenant, Nubia, dit-elle enfin.

– Mon cher Jonathan, commença son amie devant la tombe. C'est moi, Nubia, qui te parle. J'espère que tu es heureux dans ton paradis, qui ressemble au Pays du Vert, d'après ce que tu m'as raconté un jour. Merci d'avoir été gentil avec moi quand je suis arrivée ici, à Ostia. Merci de m'avoir appris le latin en me lisant *L'Énéide*. Merci de m'avoir fait rire. Tu me manqueras chaque jour de ma vie, Jonathan ben Mordecaï. Adieu.

Elle baissa la tête un moment, puis adressa un signe du menton à Flavia.

Flavia consulta sa feuille de papyrus et garda les yeux fixés sur le texte pendant quelques instants. Puis elle la roula et la glissa dans le cordon qui ceinturait sa tunique.

– Jonathan, murmura-t-elle. Je n'arrive pas à croire que tu es vraiment mort. Je regrette tellement qu'on soit allés à Rome. C'est ma faute. Je voulais résoudre le mystère de l'empereur. La prophétie : « Quand un Prométhée ouvrira une boîte de Pandore, Rome sera dévastée... » Pour moi, cette prophétie indiquait que l'épidémie allait s'aggraver. J'aurais dû savoir qu'elle parlait d'un feu, puisque Prométhée a donné le feu aux hommes. Si j'avais compris qu'il y aurait un incendie, tu n'y aurais peut-être pas péri. Peut-être que tu es mort en héros, en essayant d'empêcher Prométhée de l'allumer, mais nous ne le saurons jamais parce que, maintenant, tu n'es plus là et la dernière fois que je t'ai vu, on s'est disputés et je suis tellement, tellement désolée. C'est ma faute si tu es mort... Je suis désolée, Jonathan...

Flavia s'écroula devant la tombe et posa la tête dessus. Elle sanglotait. Nubia s'approcha de son amie, s'accroupit à ses côtés et lui posa un bras sur les épaules. Elle aussi avait les joues humides. Les trois chiens se mirent à gémir, et Scuto appuya une patte sur le bras de Flavia pour la réconforter.

Nubia se releva et sortit sa flûte de sa tunique. Elle la gardait toujours autour du cou, suspendue à un cordon, près de son cœur. Quand elle commença à jouer, les trois chiens cessèrent de gémir et se couchèrent, le menton sur les pattes avant.

Chaque trou, sur la flûte de Nubia, représentait un membre de sa famille, la famille qu'elle avait perdue la nuit où les marchands d'esclaves étaient venus.

Il n'y avait pas de trou pour Jonathan, alors elle lui dédia sa chanson. C'était un morceau lent et triste. Elle le joua tout bas, avec les notes les plus graves. Dans sa tête, elle lui donna pour titre «La complainte de Jonathan». Elle raconta en musique la forêt vert foncé, un jour d'été, et Jonathan qui chassait un trésor perdu. Les notes tombaient de sa flûte comme des gouttes de miel chaud et Nubia se mit à pleurer, comme Flavia.

Soudain, Nipur aboya et le charme fut rompu. Nubia se retourna et, sous le coup de la surprise, inspira brusquement.

Un garçon brun en tunique ocre avait surgi entre les pins parasols. Il trottinait vers elles en agitant une tablette de cire.

– Lupus ! s'écria Nubia. Où étais-tu ?

Scuto et Nipur bondirent vers le garçon en aboyant et en remuant la queue, puis se mirent à tourner en rond autour de lui. Enfin, Lupus s'arrêta, le souffle court.

Comme il n'avait pas de langue, il se servait beaucoup de sa tablette. Il l'agitait d'un air triomphal et ce ne fut que lorsque Flavia lui saisit le poignet pour l'immobiliser que Nubia put lire les mots gravés dans la cire :

Jonathan n'est pas mort.
Il est vivant !

ROULEAU II

Lupus ! cria Flavia avec colère. Si c'est une
– blague…

En sentant les doigts de Nubia s'enfoncer
dans son bras, elle se tourna vers son amie.

– Il ne plaisante pas, dit Nubia. Regarde-le dans
les yeux.

Flavia étudia Lupus. Ses yeux vert océan
brillaient d'un fol espoir.

– Jonathan est vivant ? lui demanda-t-elle.

Lupus hocha la tête. Dans cette grande tunique
sombre qui avait appartenu à Jonathan, il paraissait
petit et pâle.

– Tu en es sûr ?

Le garçon cligna des yeux et détourna le regard.
Puis il griffonna sur sa tablette de cire :

Presque certain.

J'ai entendu parler des soldats…

– Où ça ? s'exclama Flavia. Tu es allé à Rome ?

Lupus indiqua le sol dans un geste impa-
tient, comme pour dire : « Ici, à Ostia. » Puis il se
remit à écrire. Le stylet de bronze qu'il poussait

précipitamment dans la cire d'abeille molle grinça sur la tablette.

Ils disaient que c'est un garçon brun aux cheveux bouclés qui a allumé l'incendie de Rome... et qu'il se cache dans la montagne de tessons.

– C'est quoi, des tessons ? demanda Nubia.

– Des morceaux de pots et d'amphores en argile cassés, expliqua Flavia.

Puis elle fronça les sourcils :

– Je n'ai jamais entendu parler d'une montagne de tessons. Où est-ce, Lupus ?

Lupus haussa les épaules et écrivit :

Quelque part à Rome ?

– Alors tu ne sais pas vraiment si Jonathan est en vie, conclut prudemment Flavia. Tu as juste entendu une rumeur qui parle d'un garçon brun aux cheveux bouclés et tu espères qu'il s'agit de Jonathan, même si nous avons vu les bagues calcinées qu'on a retirées de son cadavre.

Le garçon baissa la tête et acquiesça.

– Où étais-tu, Lupus ? intervint Nubia d'une voix douce. Nous étions très inquiètes pour toi.

Il haussa les épaules et détourna le regard.

– Les parents de Jonathan aussi te cherchaient. Ils ont affiché une plaque en bois dans le forum[1], lui

---

1. Place du marché, dans les villes romaines. C'est aussi un lieu de rencontres, de débats et d'échanges.

raconta Flavia, pour demander si quelqu'un avait vu un garçon de neuf ans, muet, aux cheveux bruns et aux yeux verts. Et ils ont même payé un fabricant de panneaux pour peindre une grande plaque sur la façade de leur maison.

Lupus la fixa d'un air stupéfait. Pendant un instant, une lueur d'intérêt brilla dans ses yeux. Puis il haussa les épaules.

Ils ne veulent pas vraiment de moi, écrivit-il.

Je ne suis pas leur fils.

– Tu n'es peut-être pas leur fils, répliqua sauvagement Nubia, mais tu es comme un frère pour Flavia et moi. Ne t'enfuis plus jamais sans nous dire où tu vas ! Tu exagères !

Les deux autres la regardèrent avec stupeur. Elle avait les poings sur les hanches et ses yeux dorés jetaient des éclairs.

Le fugueur acquiesça docilement et lui adressa un sourire penaud. Flavia éclata de rire et Nubia le serra dans ses bras. Il se laissa faire pendant un bref instant, puis se libéra de son étreinte.

– Viens, dit Flavia en lui tapotant le dos. Rentrons à la maison. Il faut que tu préviennes les parents de Jonathan qu'il ne t'est rien arrivé. Tu peux venir habiter chez nous, si tu penses vraiment qu'ils ne veulent pas de toi, mais tu dois d'abord leur présenter des excuses. C'est déjà assez dur comme ça pour eux, maintenant qu'ils ont perdu leur seul fils.

Lupus hocha la tête.

Flavia prit une profonde inspiration.

– Et oublions ces bêtises à propos de Jonathan, reprit-elle. Il est mort et rien ne pourra jamais le ramener.

– Lupus, déclara le père de Jonathan avec son fort accent. Je sais bien que, maintenant que Jonathan... n'est plus là, tu crois que rien ne te retient ici. Mais tu te trompes. Depuis le premier soir où tu as partagé notre pain et notre sel, tu es sous la protection de cette maison. Et puis tu m'es devenu très cher. J'aimerais que tu restes.

Lupus leva les yeux et étudia le docteur Mordecaï ben Ezra. Le père de Jonathan était grand, avec des cheveux grisonnants et un nez busqué. Bien que le chagrin ait gravé de nouvelles rides dans son visage, ses yeux noirs étaient chaleureux.

– J'aimerais beaucoup que tu restes, répéta Mordecaï. Et Susannah aussi.

Lupus jeta un coup d'œil timide à la femme magnifique qui était assise à côté de Mordecaï sur le divan rayé. Mais la mère de Jonathan ne faisait pas attention à eux. Tournée vers la grande porte du bureau, qui donnait sur le jardin intérieur, elle avait le regard perdu dans le vague.

Lupus reçut comme un coup au cœur. De toute évidence, elle ne se souciait pas de lui.

Mordecaï dut voir son expression, car il appela sèchement :

– Susannah !

Elle se tourna vers lui.

– Oui, mon époux ?

– Dis à Lupus ce que nous avons décidé. Dis-lui que nous aimerions tous les deux qu'il reste. Qu'il vive avec nous.

– Oui, bien sûr, dit Susannah.

Elle se concentra sur Lupus et lui sourit.

– Nous aimerions que tu restes.

Elle était d'une beauté éblouissante et son regard était plein de bonté, mais à présent, Lupus était certain qu'elle ne voulait pas vraiment de lui. Il était au supplice. Pour elle, il ne comptait pas. Il lui fallut tout son sang-froid pour s'empêcher d'éclater en sanglots.

Puis la colère le prit.

Il n'avait pas besoin d'elle. Il avait une mère. Une mère qui l'aimait, qui l'aimait vraiment. Et, dès le début de la saison de la navigation, il embarquerait à bord de son bateau – c'était son bateau à lui, et à personne d'autre –, ferait voile vers sa mère à lui et ne reviendrait plus jamais ici.

Il baissa la tête pour cacher son émotion, qui était certainement visible dans ses yeux, ouvrit sa tablette de cire et se mit à écrire.

Sa main tremblait. Il ne fallait surtout pas qu'ils sachent ce qu'il ressentait, sinon ils insisteraient pour qu'il reste et feraient semblant de tenir à lui. Ce serait insupportable. Alors, pour empêcher sa main de trembler, il se mordit la lèvre de toutes ses forces.

Merci, écrivit-il, *mais je pense que je vais habiter chez Flavia pendant quelque temps.*

Il tendit la tablette à Mordecaï et s'efforça de sourire, puis se leva et sortit dans le jardin intérieur. Il décrocha la laisse de sa patère et la fit cliqueter pour signaler à Tigris que c'était l'heure de sa promenade. Il parvint, sans savoir comment, à ouvrir la porte du fond avec ses mains tremblantes et à sortir dans le cimetière avec le chien de Jonathan.

Quand il se retrouva enfin à l'abri dans le bosquet de Diane, Lupus ouvrit sa bouche sans langue et hurla.

Flavia n'arrivait pas à dormir.

Elle contemplait les poutres qui zébraient le plafond et les ombres projetées par la flamme d'une petite lampe à huile en bronze posée sur sa table de chevet.

Lupus était arrivé chez elle en fin d'après-midi. Il transportait ses quelques affaires dans la vieille sacoche en cuir de Jonathan. Ils l'avaient accueilli avec son repas préféré – des huîtres et des œufs de caille – et, ensuite, ils lui avaient fait un lit dans la chambre d'Aristo.

Flavia se faisait du souci pour lui, mais ce qui l'empêchait de dormir, c'était surtout la rumeur qu'il leur avait rapportée un peu plus tôt. Était-ce vraiment un garçon brun aux cheveux bouclés qui avait allumé l'incendie de Rome ? Et était-il toujours en vie ?

Elle avait déjà entendu cette rumeur. Le mois dernier. C'était l'astrologue de l'empereur qui en avait parlé. Il était absurde d'imaginer que Jonathan ait pu allumer l'incendie, mais y avait-il une chance qu'il soit encore vivant ? Elle se tourna du côté droit et étudia les différentes hypothèses.

Ils n'avaient pas vu son corps à proprement parler, mais ils avaient vu ses bagues, qu'on avait trouvées sur un cadavre gravement brûlé. Toutefois, les bagues ne venaient peut-être pas du corps de Jonathan… Et s'il les avait toutes vendues à quelqu'un d'autre ? Pour avoir de quoi s'acheter à manger, ou rentrer chez lui, à Ostia ? Et si c'était cet autre qui était mort dans l'incendie ?

Mais non. L'homme qui avait donné les bagues à Lupus – un prêtre du sanctuaire – avait dit qu'elles venaient du corps d'un jeune garçon. Il n'était guère probable qu'un enfant ait eu les moyens d'acheter ces bagues. Un adulte, oui. Mais pas un enfant de onze ou douze ans.

Flavia se tourna du côté gauche et glissa les pieds sous le corps chaud de Scuto.

Pourtant…

Ils n'avaient jamais véritablement *vu* le corps.

Et si le prêtre leur avait menti ? Et si Jonathan était bel et bien vivant, à Rome, et s'y cachait pour une raison quelconque ? Ou y était retenu prisonnier ?

Non, non, non. C'était absurde.

Il était impossible que Jonathan soit toujours vivant. Elle avait juste envie d'y croire.

Flavia se remit sur le dos.

– Nubia ? appela-t-elle tout bas. Tu es réveillée ?

La réponse vint aussitôt :

– Oui.

– Je sais que tu détestes Rome, mais si j'y retourne… pour essayer de retrouver Jonathan… serais-tu prête à venir avec moi ?

– Oui, dit Nubia. Je viendrai.

ROULEAU III

D'Aulus Caecilius Cornix à Marcus Flavius Geminus.
Salutations !

Je sais que je ne vous avais encore jamais écrit ; je profite donc de cette occasion pour m'en excuser. J'ai bien peur que mon épouse ait gardé une rancune contre vous pendant trop longtemps. Je ne lui ai pas demandé pourquoi ; les femmes sont des créatures imprévisibles. Quoi qu'il en soit, votre fille m'a rendu un grand service, le mois dernier, quand elle est venue séjourner chez nous. Ma famille et moi-même étions aux portes du Tartare[1] quand elle est arrivée, avec plusieurs amis, dont un certain docteur Mordicus qui nous a tous remis sur pied.

Pendant son séjour chez nous, j'ai promis à votre fille de la réinviter pour l'inauguration du nouvel amphithéâtre*, que les gens appellent la huitième merveille du monde, ici à Rome. Comme

---

1. Royaume souterrain assimilé aux Enfers, le pays des morts gouverné par Pluton, que l'on appelle également Hadès.

vous le savez, notre illustre empereur Titus* a décrété une période fériée et ouvrira l'amphithéâtre Flavien avec cent jours de jeux, notamment des duels de gladiateurs et des combats d'animaux.

J'aimerais inviter Flavia et ses amis à venir passer ici, dans notre maison romaine, les premiers jours de cet événement historique.

Vous êtes également convié, bien entendu, même si les préparatifs pour la saison de la navigation vous occupent trop pour que vous puissiez y assister, d'après ce que m'a dit ma nièce. Je pars en Toscane avec ma famille après le premier jour des jeux : pour ma part, la perspective de trois mois chômés à Rome ne me réjouit pas. Mais je laisserai des esclaves, dont une cuisinière, en ville. Votre fille et ses amis sont les bienvenus s'ils souhaitent profiter de leurs services et de ma maison.

J'attends votre réponse avec impatience et j'espère que cette invitation aidera à combler le fossé qui sépare nos familles. Votre approbation m'assurera que nous sommes de nouveau en bons termes.

À bientôt.

« Merci, Sisyphe ! pensa Flavia tandis qu'elle terminait la lettre. Quelle chance que tu sois notre ami, en plus d'être le secrétaire d'oncle Aulus ! »

Elle se tourna vers son père.

– On peut y aller, Pater ? S'il te plaît ?

Marcus Flavius Geminus se radossa dans son fauteuil en cuir et sourit. Il avait l'air amaigri et fatigué, mais, bien qu'il fût assez âgé – il aurait trente-deux ans en mai –, Flavia le trouvait toujours beau.

– Je ne suis pas sûr… dit-il en passant une main dans ses cheveux châtain clair. L'épidémie pourrait reprendre. Ou bien un nouvel incendie pourrait se déclarer. Et si tu trouves un autre mystère, tu risquerais de te faire tuer, encore une fois !

– Mais Pater, c'est un événement historique ! Une chose que je pourrai raconter à mes petits-enfants… ajouta Flavia délibérément.

Elle savait que son père mourait d'envie d'avoir des descendants.

– Je suppose que tu peux rater une semaine de leçons… dit-il lentement. Ainsi, Aristo serait libre et pourrait m'aider à préparer le navire pour le mois prochain.

Il plissa les yeux et l'examina d'un air pensif.

Flavia se redressa sur son tabouret et attendit sa réponse.

– Très bien, dit-il enfin, et il essaya de retenir un sourire quand elle poussa un cri de joie.

Il leva la main pour l'empêcher de lui sauter au cou tout de suite.

– Mais j'exige que tu emmènes Caudex comme garde du corps, et tu dois me promettre de ne pas te faire tuer !

Deux jours plus tard, Flavia Gemina et ses amis prirent une carruca[1] tôt le matin pour se rendre à Rome. Ils arrivèrent devant la maison de ville du sénateur Cornix une heure avant midi.

Flavia descendit de la carruca dans le soleil matinal et passa à l'ombre d'un porche à colonnade.

– Chers Castor et Pollux, souffla-t-elle, merci de nous avoir conduits ici sains et saufs.

Par-dessus son épaule, elle jeta un coup d'œil à Nubia, Lupus, Tigris et Caudex, leur esclave, qui se tenaient toujours au soleil. Elle n'avait pas confié à son garde du corps la véritable raison de leur visite, alors, en se retournant face à la porte, elle chuchota tout bas :

– Je vous en prie, aidez-nous à retrouver Jonathan, s'il est toujours vivant !

En cognant le heurtoir en bronze, elle ajouta, comme une arrière-pensée :

– Et s'il vous plaît, dieu de Jonathan, pourriez-vous nous aider, vous aussi ?

– Mademoiselle Flavia ! s'écria le jeune Grec aux yeux noirs, l'air ravi. Je ne peux pas te dire à quel point je suis content de te voir ! On s'ennuyait tellement à Rome depuis votre départ… Et dans ta lettre, tu disais que nous aurions peut-être un nouveau mystère à résoudre ?

1. Attelage à quatre roues, généralement couvert.

– Bien sûr ! dit Flavia en entrant dans l'atrium et en serrant dans ses bras le secrétaire de son oncle. Je suis tellement heureuse de te voir, Sisyphe ! Merci de nous avoir fait inviter.

– Chuuut ! Le maître croit que c'est lui qui a eu l'idée !

Sisyphe jeta un coup d'œil par-dessus l'épaule de Flavia.

– Bonjour, Nubia, Lupus et Caudex ! Entrez.

Puis il se raidit.

– Flavia ! siffla-t-il. Qu'est-ce qu'il fait ici, ce chien ? Tu sais que le sénateur Cornix déteste les chiens.

– Tigris est très bien élevé, argumenta Flavia. En plus il n'aboie jamais, en ce moment.

Elle baissa la voix.

– Sisyphe, il y a une chance que Jonathan soit encore en vie et qu'il soit ici, à Rome.

Le Grec écarquilla ses yeux noirs.

– C'est ça, ton mystère ?

– Oui, murmura Flavia. Et si Jonathan est vivant, nous avons besoin de Tigris pour flairer sa piste.

– Flavia !

Une petite fille venait d'entrer en courant dans l'atrium. Elle jeta les bras autour des genoux de Flavia en poussant des cris de joie.

– Rhoda !

Flavia s'esclaffa et enlaça sa cousine. Rhoda avait quatre ans et, depuis la mort de ses deux petites sœurs, le mois précédent, elle était redevenue le bébé de la famille.

– Nubia ! s'écria Rhoda en se faufilant entre Flavia et Sisyphe pour courir sous le porche.

Ensuite, elle s'arrêta net.

– Un petit chien ! souffla-t-elle avec révérence. Oh, Sisyphe, regarde : un petit chien !

– Venez, alors, dit Sisyphe avec un sourire, en levant les yeux au ciel. Allons vous installer, vous et votre animal, avant que dame Cynthia rentre de chez son amie.

– Merci, tante Cynthia et oncle Aulus, dit Flavia. Merci de nous avoir invités chez vous pour qu'on puisse assister aux jeux.

Il était presque midi ; ils étaient assis autour d'une table au soleil, dans une cour intérieure.

– Je regrette seulement que nous ne puissions pas rester ici avec vous… commenta Cynthia.

C'était une brune séduisante d'une petite trentaine d'années ; elle détacha les yeux de sa tablette de cire et jeta un regard appuyé à son mari. À l'autre bout de la table, le sénateur Cornix garda les yeux fixés sur le rouleau qu'il était en train de lire.

Cynthia soupira.

– N'étrangle pas Flavia, chérie, dit-elle tendrement à sa fille cadette.

Rhoda, assise sur les genoux de Flavia, avait les bras autour de son cou.

Le sénateur soupira aussi en refermant son rouleau. Il leva la tête.

– Vous vous rendez compte ? Cent jours de spectacles. L'État et le sénat en vacances pendant plus de trois mois ! L'empereur est…

Il s'interrompit et, bien qu'il fût chez lui, il baissa la voix.

– Titus s'est montré extrêmement irresponsable. Dix jours, d'accord. Même trente. Mais cent ? C'est trop !

– Tu n'as pas envie de voir les jeux ? questionna Flavia. Tu es sénateur. Tu peux y aller tous les jours.

– Le grand philosophe Sénèque[1] a dit: «N'assistez pas aux jeux. Ou bien vous serez corrompu par les masses, ou bien, si vous restez à l'écart, elles vous détesteront.» Nous autres, les hommes de noble caractère, nous méprisons ce genre de spectacles. Ils sont pour la plèbe*. Le petit peuple.

Il poussa un autre profond soupir.

– Et c'est le petit peuple qui fait tourner Rome. S'ils vont tous aux jeux, cette ville va s'arrêter net.

1. Philosophe stoïcien qui fut le tuteur de Néron et qui, dans ses livres, explique comment bien mourir.

– Mais il y a un million de personnes qui habitent ici, répliqua la tante de Flavia, et le nouvel amphithéâtre ne peut en accueillir que cinquante mille. Je suis certaine qu'ils ne vont pas tous…

Son mari lui coupa la parole.

– N'oublie pas les festivités du Stagnum[1]. Tous ceux qui n'auront pas de place dans la nouvelle arène se précipiteront là-bas. Ils iront profiter de la viande des sacrifices, recevoir leur mesure de blé gratuite, voir les fausses batailles navales et les duels de gladiateurs. Au bout du compte, ils oublieront que les premiers mois du règne de Titus ont été marqués par une éruption volcanique, une épidémie et un incendie. Ce seront des vacances pour eux. Mais pour nous autres patriciens*, c'est tellement assommant !

– Tu vas quand même assister à l'inauguration, le premier jour, non ? demanda Flavia, qui tenait toujours Rhoda dans ses bras.

– Nous n'avons pas le choix, soupira le sénateur Cornix. Ce sont les premiers jeux financés par notre nouvel empereur. À travers ces jeux, Titus va montrer à Rome ses capacités, sa personnalité et son programme politique.

– Je ne comprends pas, souffla Nubia.

1. Lac artificiel de l'autre côté du Tibre ; bâti par Auguste, il fut utilisé pendant les jeux d'inauguration du Colisée pour de fausses batailles navales.

Flavia déplaça Rhoda sur ses genoux et se pencha vers son amie.

— Il dit que les jeux sont une grande fête pour proclamer : « Je suis le nouvel empereur. » Si nous n'y allons pas, nous allons vexer Titus.

— Ah.

Au loin, Flavia entendit les gongs de midi annoncer l'ouverture des bains publics. Le sénateur se leva et ajusta sa toge.

— Excuse-moi, ma chérie, dit-il à sa femme. J'ai promis à Gnaeus de le rejoindre aux thermes. On se retrouve pour le dîner, comme d'habitude ?

— Oui, chéri.

— Sisyphe, j'ai besoin que tu m'accompagnes, j'ai des choses à te dicter en route.

Le sénateur s'éloigna vers l'avant de la maison. Sisyphe adressa à Flavia un soupir humoristique et se hâta de le suivre.

— Je veux aller aux jeux, moi aussi, dit Rhoda. Je veux aller aux jeux avec Flavia et Nubia et Lupus et le petit chien.

Flavia lui posa un baiser sur le haut de la tête. La petite fille avait les cheveux châtain clair, comme elle.

— Tante Cynthia, as-tu entendu parler d'un endroit qu'on appelle la montagne de tessons ?

— Moi oui ! intervint un garçon qui arrivait dans la cour ensoleillée.

– Bonjour, Aulus ! s'écria Flavia. Comment vas-tu ?

Il haussa les épaules.

– Bonjour, tout le monde.

– Bonjour, Aulus, dit Nubia.

Lupus lui fit signe de la main.

– Tu as terminé tes leçons pour la journée, chéri ? demanda Cynthia.

– Tu le vois bien.

Aulus s'affala sur le banc à côté de Lupus et passa la main sous la table pour gratter Tigris derrière l'oreille.

– La montagne de tessons, expliqua-t-il à Flavia, est une colline faite de pots et d'amphores cassés. Elle se trouve derrière l'Aventin, hors de l'enceinte de la ville, entre le fleuve et la pyramide.

– Je l'ignorais, commenta Cynthia en reposant son stylet. Comment le savais-tu, chéri ?

Aulus haussa les épaules.

– Tout le monde le sait.

Il regarda Flavia.

– Tu veux aller la voir ?

– On veut y aller, nous ! On veut y aller ! s'écrièrent deux garçons qui entraient en courant dans la cour.

Quintus et Sextus étaient des jumeaux de cinq ans aux cheveux bruns et aux yeux pétillants.

– Non. Vous ne pouvez pas venir, vous deux, répliqua Aulus en bâillant. Toi non plus, Hyacinthe, dit-il à une fille d'environ neuf ans qui s'était arrêtée près d'une des colonnes bordant l'entrée de la cour.

— Bonjour, Hyacinthe ! lança Flavia. Bonjour, Quintus et Sextus.

— C'est pas juste, Mater ! protestèrent les jumeaux. On veut y aller aussi.

— Et moi aussi, ajouta Rhoda, sur les genoux de Flavia.

— Eh bien, vous ne pouvez pas, dit Aulus. Il faut avoir neuf ans ou plus pour venir.

— Lupus n'a pas neuf ans, objecta Hyacinthe depuis sa colonne.

— Mais si, dit Flavia. Il les a eus le mois dernier.

— Je vais avoir neuf ans en mai... insista Hyacinthe en haussant le menton.

— Eh bien, c'est trop tard, voilà tout ! répliqua Aulus en ricanant.

— Tu te prends pour l'empereur, toi ! grogna Hyacinthe. Mater, je peux y aller avec eux ?

— Tu ne sais même pas où on va !

— La montagne de tessons ! La montagne de tessons ! scandèrent les jumeaux. On veut y aller ! On veut y aller !

— Maman ! couina Rhoda en s'agitant sur les genoux de Flavia. Je veux y aller, moi aussi. Je peux avoir neuf ans ?

Nubia fondit en larmes.

Tu te sens mieux, maintenant ? demanda Flavia
– en passant un bras sur les épaules de Nubia.
Son amie hocha la tête.

Les deux filles descendaient la colline pentue derrière Caudex, Aulus et Lupus. Tigris ouvrait la marche, tirant sur la laisse que tenait Lupus.

Nubia se rappela la première fois qu'elle avait vu cette rue, qu'Aulus avait nommée le Clivus Scauri*. Elle voyageait en litière avec Flavia, par une chaude soirée d'été. Aujourd'hui, le temps était gris et nuageux, avec un étrange vent du sud. Le souffle d'air gémissait entre les colonnes des porches, de chaque côté, et faisait bruire le sommet foncé des pins parasols, tout là-haut. Nubia frissonna.

– Tu as froid ? demanda Flavia.

– Non. Ma cape en peau de lion me tient chaud.

– Alors qu'est-ce qui ne va pas ? Pourquoi tu as pleuré tout à l'heure ?

Nubia essaya de trouver les mots.

– Ma famille me manque, dit-elle finalement.

Flavia hocha la tête.

– Parfois, j'oublie à quel point ça doit être dur pour toi. C'était peut-être une mauvaise idée de venir loger chez mes cousins.

– Non, lui assura Nubia. J'aime beaucoup tes cousins : les jumeaux et la petite Rhoda, et la mère, pareille à un grand palmier qui se balance dans le vent mais ne se brise jamais… Ma mère était comme ça.

– Oh, Nubia ! Ils te rappellent ta famille ! C'est pour ça que tu as pleuré.

Nubia acquiesça et tenta de déglutir pour défaire le nœud dans sa gorge.

Quand ils arrivèrent au pied du Caelius, Aulus tourna à gauche. Même si les véhicules roulants étaient interdits à Rome pendant la journée, certaines personnes conduisaient hardiment des charrettes traînées par des ânes et chargées de provisions. Tigris, la truffe au sol, tirait sur sa laisse, et Nubia nota qu'il agitait la queue de temps en temps. Ils contournèrent l'extrémité sud du grand Circus Maximus* et traversèrent un quartier commerçant animé, plein de gens qui se hâtaient d'acheter de l'huile, du vin, des haricots secs et du blé le dernier jour avant les jeux.

Peu après, ils arrivèrent sur une place tellement bondée que Nubia, au début, ne la reconnut pas. Mais ensuite, elle vit les trois arches blanches de la porte Trigemina qui s'élevaient au-dessus de la foule. Derrière ces arches se trouvait la route d'Ostia.

Elle sentit qu'on la poussait par-derrière dans la cohue et tenta d'ignorer la vague de panique qui montait en elle. Elle était habituée aux grands espaces vides du désert, et pas aux foules de gens bruyants, malodorants. Un coude se planta dans ses côtes et un gros monsieur lui marcha sur le pied avec ses bottes ferrées.

– On passe! annonça un esclave d'une voix nasale, aiguë, et le manche d'une chaise à porteurs heurta la pommette de Nubia.

– Faites attention où vous allez! hurla Flavia, furieuse, en attrapant son amie. Par ici, Nubia. C'est moins dangereux dans le sillage de Caudex.

Les deux filles suivirent leur garde du corps de près. C'était un homme costaud et la foule s'ouvrit devant lui quand il se remit en marche.

Enfin, ils franchirent la porte.

– Contemplez la pyramide, dit Nubia avec nostalgie, en reconnaissant un point de repère sur la route d'Ostia.

Mais ils n'empruntèrent pas la route de gauche, qui les aurait ramenés à Ostia, ni celle de droite, qui contournait une colline verdoyante. Aulus les conduisit sur la route du milieu. Nubia découvrit un spectacle qu'elle n'avait jamais vu auparavant.

Rome, en se développant, avait débordé de l'enceinte de la ville. Au-delà des routes flanquées de tombes se trouvaient des ateliers de potiers et de forgerons. Dans une boutique, on fabriquait des charrettes et des carrioles, tandis qu'une autre exposait des portails et des tables en fer forgé.

– Contemplez les grands bâtiments de brique, devant nous, dit Nubia. Comme à Ostia !

– Des entrepôts, précisa Flavia. Le fleuve doit être quelque part derrière.

À mesure qu'ils avançaient vers les entrepôts, Nubia s'aperçut que de plus en plus de boutiques étaient équipées d'un fourneau ; l'endroit était enfumé.

Tigris éternua, puis leva la truffe pour humer l'air.

– La voilà, dit Aulus Junior, en indiquant d'un geste du menton une petite colline entre des ateliers à deux niveaux et les entrepôts, plus loin. La montagne de tessons.

– C'est ça, la montagne de tessons ? demanda Nubia.

Elle avait imaginé un immense cône rouge fait d'éclats de poterie si tranchants que Jonathan devait avoir les mains et les genoux couverts de sang en essayant d'y ramper.

– Ce n'est pas une montagne, dit-elle à Aulus, c'est juste une colline.

Lupus émit un grognement pour manifester son approbation.

– Et je ne pensais pas que de l'herbe aurait poussé dessus, ajouta Flavia.

– Eh bien, c'est pas moi qui ai choisi son nom, rétorqua Aulus. Et il suffit d'une saison pour que l'herbe se mette à pousser.

– Regardez comme ils ont soigneusement disposé les débris en couches, dit Flavia. Je suppose qu'il y aurait des glissements de terrain s'ils n'avaient pas fait ça.

– Contemplez ! s'écria Nubia. Il y a quelqu'un là-haut !

– Arrête de dire « Contemplez » ! s'énerva Aulus. Personne ne dit ça.

– C'est poétique, intervint Flavia. On aime bien quand Nubia dit « Contemplez », nous.

– Mais ça fait bête, répliqua Aulus. Et puis elle a l'air débile avec cette peau de lion.

– Je devrais dire quoi ? demanda Nubia d'une petite voix.

– Dis simplement « Regardez », comme les gens normaux… Mince, des mendiants !

Trois hommes en guenilles étaient apparus et se dirigeaient vers eux, la main tendue.

– Une pièce pour les pauvres, supplia l'un d'eux d'une voix chevrotante.

– Tessons à vendre, dit un autre.

Nubia écarquilla les yeux, horrifiée : il n'avait plus de nez ; quelqu'un le lui avait coupé.

Caudex s'avança pour repousser les mendiants, mais Flavia le retint en posant une main sur son avant-bras musclé. Puis Nubia la vit plonger l'autre main sous sa cape pour sortir sa bourse.

– Ne leur donne rien ! siffla Aulus. Tu ne ferais que les encourager.

Flavia l'ignora. Elle tendit une petite pièce d'argent pour la montrer aux mendiants.

– Je donnerai ce denarius[1], annonça-t-elle d'une voix claire, à quiconque aurait des informations au sujet d'un garçon brun aux cheveux bouclés qui vit sur cette colline.

Les mendiants la considérèrent avec stupeur, puis échangèrent des regards.

– Il paraît que c'est lui qui a allumé l'incendie le mois dernier, continua Flavia.

L'un après l'autre, les mendiants firent volte-face et s'enfuirent.

– Tu es stupide ou quoi ? lança Aulus à Flavia. Je croyais que tu voulais juste voir la montagne de tessons… pas nous faire tous arrêter ! Pourquoi as-tu mentionné l'incendie ? Es-tu complètement débile ?

---

1. Petite pièce d'argent qui valait quatre sesterces.

Flavia le regarda, ahurie. À côté d'elle, Caudex se raidit.

Aulus leva les yeux au ciel.

– Écoute : si on te soupçonne d'avoir le moindre rapport avec l'incendie, tu vas te faire embarquer et jeter en prison. Tu sais ce qu'ils font aux pyromanes ?

Il parlait lentement, comme s'il s'adressait à une idiote.

Flavia secoua la tête.

– Ils les jettent aux lions.

La jeune fille sentit quelqu'un tirer sur sa tunique. Elle détacha les yeux du visage furieux d'Aulus.

– Qu'y a-t-il, Lupus ?

Le garçon indiqua une ruelle étroite et jonchée d'ordures, entre deux ateliers.

– Qu'y a-t-il ? répéta Flavia, en se retournant vers lui.

– Contem… Regardez ! dit Nubia. Il y a quelqu'un, là-bas.

Alors, Flavia vit de quoi ils parlaient. Des yeux brillaient dans un visage crasseux, famélique. C'était un jeune garçon coiffé d'une calotte rayée, accroupi dans la ruelle, qui les observait. Quand leurs regards se croisèrent, le garnement lui fit signe d'approcher.

Flavia jeta un coup d'œil aux autres.

– Attendez ici avec Caudex, ordonna-t-elle.

Aulus ricana.

– Tu te prends pour l'empereur, maintenant ?

– Attendez ici, répéta-t-elle froidement, en plissant les yeux.

Aulus la fusilla du regard, mais elle l'ignora et s'avança dans la ruelle, en se faufilant entre les ordures. Pendant un moment, elle crut que le mendiant avait disparu. Mais une petite main lui agrippa le poignet et la tira hors de vue, derrière des planches en bois pourri et une roue de charrette cassée.

– J'ai entendu ce que tu as demandé à ces hommes, murmura l'enfant.

Flavia s'aperçut que ce n'était pas un garçon, mais une fille qui avait remonté ses cheveux sous sa calotte.

– Il y avait un garçon qui vivait sur la montagne de tessons, dit la mendiante. Depuis l'incendie.

Flavia écarquilla les yeux.

– Un garçon brun aux cheveux bouclés ? D'environ onze ans ?

La petite vagabonde hocha la tête.

– Est-ce qu'il s'appelle Jonathan ?

Le cœur de Flavia battait la chamade.

La gamine haussa les épaules.

– Peut-être. Les gens l'appellent Hilarus, parce qu'il est drôle.

– Il habite où, sur la montagne de tessons ?

La petite tendit la main.

– Ah, fit Flavia, et elle posa le denarius d'argent dans sa paume crasseuse. Maintenant dis-moi : où est-il ?

– Il n'est plus ici. Il est au nouvel amphithéâtre. Des soldats l'ont arrêté hier matin.

La gamine dévoila de petites dents pointues dans un sourire, puis gloussa.

– Ils vont le jeter aux lions !

ROULEAU V

Alors maintenant tu nous traînes au nouvel
– amphithéâtre ? grogna Aulus. Qu'est-ce que
tu nous fais faire, là ? Une visite de Rome ?

Flavia l'ignora.

– Je me demande où ils enferment les prisonniers… dit-elle d'une voix songeuse.

– Les prisonniers ? répéta Aulus. Pourquoi tu
t'intéresses aux prisonniers ? Et c'était quoi, cette
histoire de garçon brun aux cheveux bouclés ?

Flavia hésita. Elle ne voulait pas lui confier la
véritable raison de leur enquête.

– On essaie juste de découvrir qui a allumé l'incendie le mois dernier, dit-elle.

– Vous essayez quoi ? !

– Nous sommes détectives, reprit Flavia. Nous
résolvons des mystères.

– C'est stupide, déclara Aulus.

Ils venaient de passer devant le Circus Maximus ;
la colline verdoyante du Palatin se trouvait à leur
gauche et l'aqueduc en brique rouge droit devant
eux. Flavia plaqua les mains sur les hanches et se

tourna face à Aulus. Caudex, Lupus et Nubia s'arrêtèrent aussi. Tigris partit inspecter le pied d'un pin
parasol.

– Notre stupide travail de détectives a sauvé
la vie de l'empereur, l'année dernière ! dit Flavia
à Aulus. Et le mois dernier, il nous a demandé de
résoudre un mystère pour lui.

– Mais vous ne l'avez pas résolu, n'est-ce pas ?
Vous n'avez jamais trouvé qui était Pygmalion.

– Prométhée, corrigea Flavia. On essayait de
trouver un Prométhée. Et on essaie toujours, men-
tit-elle.

Aulus ricana.

– Si tu trouves notre enquête stupide, lança
froidement Flavia, tu n'as qu'à rentrer chez toi !

– Je crois que c'est exactement ce que je vais
faire ! dit-il, les dents serrées. Je dois préparer mes
bagages. Parce que nous partons après-demain – et
tant mieux ! Comme ça, je n'aurai plus à vous voir.

– Ça me va très bien.

– À moi aussi !

Aulus Junior fit demi-tour et fila vers le mont
Caelius.

Nubia admirait, impressionnée, l'immense
amphithéâtre qui se dressait devant elle.

Il était vraiment imposant, avec ses quatre
étages. Les trois niveaux inférieurs étaient percés

d'une rangée d'arcades encadrées par des demi-colonnes. Chaque arcade abritait une statue ou un groupe de statues, qui étaient toutes peintes, de sorte qu'on avait vraiment l'impression qu'une centaine de dieux et de héros colorés observaient Rome du haut de ce bâtiment monumental.

– Regarde, Nubia! dit Flavia, à côté d'elle. Il y a les trois types de colonnes dont Aristo nous parlait pendant les leçons: des colonnes doriques, des colonnes ioniques et, tout en haut, des colonnes corinthiennes.

Nubia acquiesça et pencha la tête en arrière.

Le dernier étage de ce monument colossal était dénué d'ornements, et couvert d'échafaudages; elle vit des esclaves s'activer, là-haut. Elle n'était pas sûre de ce qu'ils faisaient, mais elle entendit des coups de marteau dont le bruit résonnait jusqu'en bas. Il y avait d'autres esclaves au sol. Certains transportaient des balais de brindilles ou des pots de peinture en argile, d'autres conduisaient des charrettes qui arrivaient pleines de sable jaune pâle et repartaient vides. D'autres encore nouaient des cordes à des poteaux en marbre. En levant les yeux jusqu'au sommet du bâtiment, Nubia pencha de nouveau la tête en arrière.

L'amphithéâtre était incroyablement haut et vaste. Étaient-ce vraiment de simples humains qui l'avaient construit? Et Jonathan… était-il vraiment quelque part là-dedans, vivant?

Nubia ferma les yeux pendant un instant et se concentra pour essayer de percevoir sa présence, grâce à son intuition.

Rien.

Alors elle se concentra sur ses autres sens. Elle capta une odeur d'animaux. Elle entendit un éléphant barrir à l'intérieur. Et sentit des gouttes chaudes lui tomber sur le visage et les mains.

Nubia ouvrit les yeux. Et poussa un cri d'horreur.

Il pleuvait du sang.

– Nubia! Qu'est-ce que tu as? s'écria Flavia Gemina.

Nubia indiqua les gouttes brun-rouge qui éclaboussaient sa cape en peau de lion.

– Il pleut du sang! hurla-t-elle. Du sang!

Flavia éclata de rire.

– Ce n'est pas du sang. C'est juste de la pluie.

– Mais elle est même chaude comme du sang!

Nubia fit le signe qui protège du Mal.

– Non, non, Nubia! C'est juste de la poussière dans l'eau de pluie. Parfois, quand le vent vient du sud, il apporte de la poussière rouge. D'après Pater, elle vient d'un grand désert de l'autre côté de la mer. Et s'il pleut, les gouttes d'eau se chargent de poussière rouge et elles ressemblent à du sang.

Elle frotta l'une des traces sur la cape de Nubia.

– Tu vois ? Ça s'enlèvera facilement.

– Vraiment ? demanda Nubia d'une petite voix.

Flavia hocha la tête.

– Venez, tout le monde. Attendons sous cet arbre. Je ne pense pas que cette averse va durer longtemps.

Elle leva les yeux vers le ciel gris.

– Maintenant qu'Aulus est parti, on peut se concentrer sur nos recherches et tâcher de retrouver… Caudex, sais-tu où ils enferment les gens qu'ils ont l'intention de jeter aux lions ?

Le grand garde du corps la fixa d'un regard stupéfait.

Flavia soupira et lui expliqua :

– Il y a une chance, une infime chance, que Jonathan soit en vie.

Caudex écarquilla ses petits yeux marron.

– Mais vous avez dit…

Il s'interrompit, perplexe.

– Je sais, on a dit qu'il était mort dans l'incendie, le mois dernier. Nous avons bien vu ses bagues calcinées. Mais nous n'avons jamais vu son corps à proprement parler. Et d'après certaines rumeurs, c'est un garçon brun aux cheveux bouclés qui aurait allumé l'incendie, et il se serait caché dans la montagne de tessons. Mais cette petite mendiante à qui je viens de parler m'a raconté qu'on l'a emmené à l'amphithéâtre pour le jeter aux lions. Caudex, si c'est Jonathan, nous devons le sauver. Tu comprends ?

Le grand esclave hocha la tête, en contractant sa grande mâchoire carrée.

– Caudex, tu étais gladiateur autrefois, n'est-ce pas ?

Il haussa les épaules.

– Je n'ai jamais participé à un combat*, marmonna-t-il.

– Mais tu as suivi l'entraînement, non ?

Il acquiesça.

– Alors dis-nous : où enfermeraient-ils les gladiateurs avant leur combat contre des animaux ?

– Les gladiateurs n'affrontent pas d'animaux, répondit lentement Caudex. Ils affrontent d'autres gladiateurs. Ce sont les bestiaires qui combattent les animaux. Et les criminels...

Il s'interrompit un instant pour réfléchir.

– ... Surtout ceux qui ont allumé un incendie...

– Les pyromanes, précisa Flavia.

Caudex hocha la tête.

– Ils les jettent aux lions.

– Nous devons agir vite, dit Flavia à ses amis. Dans quatre heures, il fera nuit, et demain, les jeux commencent. Je propose qu'on se sépare et qu'on essaie d'obtenir le plus d'informations possible. Lupus, tu peux t'introduire pratiquement n'importe où sans que les gens te remarquent. Vois si tu peux trouver où les prisonniers sont enfermés. Nubia, pourrais-tu chercher où sont les animaux, et demander des renseignements là-bas ? Caudex, tu as suivi l'entraînement de gladiateur, alors tu pourrais peut-être te faire passer pour un gladiateur égaré. Nous nous retrouverons au coucher du soleil, là-bas, près de la *Meta sudans*[1].

Flavia pointa le doigt vers un grand cône humide en marbre noir.

Ils l'approuvèrent tous d'un hochement de tête, puis Lupus indiqua Flavia et haussa les sourcils, comme pour dire : «Et toi, qu'est-ce que tu vas faire ?»

– Je vais espionner cet homme avec la queue-de-cheval, là-bas. Il semble donner des ordres à tous les esclaves qui sont dans les parages, alors ce doit être un responsable. Il saura où les prisonniers sont enfermés. Je vais emmener Tigris avec moi.

Elle les regarda tour à tour.

– N'oubliez pas : le secret, c'est de vous comporter comme si vous aviez le droit d'être là. Je sais que ce n'est pas facile, mais si le garçon aux cheveux bouclés est vraiment Jonathan, c'est peut-être notre seule chance de le sauver.

---

1. En latin, « Poteau tournant suant ». Célèbre fontaine conique près du Colisée.

Lupus avait écrit quelque chose. Il tira sur la palla[1] de Flavia et lui montra sa tablette de cire d'un air presque gêné.

Qu'est-ce qu'on fait si on le trouve ?

Flavia lut la tablette, puis regarda ses amis. Ils avaient tous les yeux braqués sur elle, attendant qu'elle leur dise quoi faire. Même Tigris la fixait de ses yeux bruns, humides et pleins d'espoir, la langue pendante. Elle se força à sourire.

— Je ne sais pas trop… avoua-t-elle, mais je vous promets une chose : je trouverai une idée !

---

1. Cape de femme, qui pouvait également être drapée autour de la taille ou portée sur la tête.

Cela faisait longtemps que Nubia n'avait pas senti de crottin de chameau.

L'odeur s'intensifiait, à mesure qu'elle avançait vers le côté sud de l'immense amphithéâtre, et lui apportait un flot de souvenirs.

L'un de ces souvenirs était particulièrement vif.

Au printemps, l'année précédente, la famille de Nubia se rendait en caravane à l'oasis bleue, où se tenait le marché aux épices annuel. Son frère aîné, Taharqo, montait son chameau à elle, et Nubia était juchée derrière lui. Elle avait baptisé son chameau Siwa, d'après la célèbre oasis de palmiers dattiers, parce qu'il adorait les dattes – tout comme elle.

– Siwa ! appelait-elle, perchée sur son dos, et elle lui lançait une datte.

Le chameau tournait sa grande tête et rattrapait habilement la datte dans sa gueule. Au bout d'un moment, il recrachait le noyau.

Nubia montra fièrement ce numéro à Taharqo. Il fut si impressionné qu'il s'empara du sac de dattes de sa sœur.

– Siwa ! cria-t-il, et il lança une datte à la droite du chameau.

Siwa bondit vers la droite pour rattraper le fruit en vol. Nubia poussa un cri : elle avait failli tomber du haut de la bosse du chameau.

– Siwa ! cria Taharqo, et il jeta une datte vers la gauche.

Le chameau obliqua vers la gauche ; Nubia cria et se cramponna à son frère pour se retenir. Les dunes étaient moelleuses, mais elles étaient très loin en contrebas.

– Siwa ! lança Taharqo, hilare.

– Arrête, Taharqo ! dit Nubia.

Mais elle riait aussi.

– Siwa !

À gauche.

– Siwa !

À droite.

Taharqo riait si fort, à présent, que ses lancers étaient approximatifs et les embardées du chameau d'autant plus brutales.

– Siwa !

Le chameau dut faire un bond si brusque pour attraper le délicieux fruit qu'il faillit perdre l'équilibre. Il se redressa au dernier moment, mais Nubia et Taharqo tombèrent de son dos et atterrirent dans le sable.

Pile dans un tas de crottin de chameau.

Ils riaient toujours tandis que Siwa dévorait gaiement les dattes éparpillées autour d'eux.

Mais toute la caravane avait été forcée de s'arrêter et, pour les punir, leur père leur avait refusé la permission de se changer. Quand ils étaient arrivés à l'oasis bleue, trois heures plus tard, ils empestaient le crottin de chameau.

Le sourire de Nubia s'élargit.

Taharqo était furieux. Après l'avoir reniflé, une fille qui lui plaisait avait filé en gloussant rejoindre ses amies.

Leur père, amusé, avait déclaré que le meilleur moyen de vérifier qu'on vous aime vraiment, c'était « le test du crottin de chameau ». Et leur mère avait répliqué, l'air sombre :

– Oui, mon époux. Et j'ai réussi ce test bien des fois.

Le sourire de Nubia s'évanouit et ses yeux s'emplirent de larmes. Son père était mort, et sa mère aussi. Massacrés par des marchands d'esclaves. La boule qui lui nouait si souvent la gorge revint. Ils ne riraient plus jamais tous ensemble ainsi, avec sa famille.

Lupus, content d'avoir mis sa tunique de voyage ordinaire, se frotta de la terre dans les cheveux et sur les joues. Puis il se posta derrière un pin parasol pour observer. L'un des esclaves abandonna son balai de brindilles contre un mur et disparut sous une arche en marbre pour se soulager. Lupus s'élança et s'empara du balai. La tête baissée, tout en donnant des coups de balai, il gagna une autre entrée voûtée. Avant de se faufiler à l'intérieur, il leva les yeux un instant, pour se repérer. Le nombre XXIIII était gravé au-dessus de la porte et rehaussé à la peinture rouge. Vingt-quatre. Il pénétrait dans l'amphithéâtre par la porte numéro vingt-quatre.

Flavia tira sa palla gris perle sur sa tête ; les nuages bas crachaient toujours de la pluie. Elle laissa Tigris la traîner plus près de l'homme qui donnait des ordres, et se cacha derrière une charrette pleine de sable pour l'espionner. Elle devina qu'il avait à peu près l'âge de son père, peut-être un peu moins. Il portait une tunique crème avec deux rayures verticales sombres. Ses longs cheveux bruns étaient tirés en arrière en une queue-de-cheval. Il n'était pas grand, mais il dégageait une impression d'autorité absolue, en donnant des ordres accompagnés d'insultes joyeuses ou de tapes dans le dos.

Quand deux femmes bien nées passèrent devant lui, il lança :

– Vous cherchez un rendez-vous avec un gladiateur, mesdames ? Je peux vous arranger ça !

Les deux femmes s'éloignèrent précipitamment avec une expression scandalisée et l'homme éclata de rire. Puis il fit volte-face et pointa du doigt la charrette derrière laquelle Flavia se cachait.

– Toi ! Scaevus ! hurla-t-il. Amène ce sable dans l'arène avant qu'il absorbe encore des seaux d'eau de pluie.

Le conducteur fit claquer son fouet et la charrette roula lentement vers la porte numéro quarante. Flavia et Tigris avancèrent avec la charrette et, à la dernière minute, se glissèrent à l'abri de l'entrée voûtée, juste à côté. D'ici, Flavia était suffisamment proche pour voir que l'homme à la queue-de-cheval avait des yeux marron et une peau grêlée.

Un homme chauve et deux filles de l'âge de Flavia s'approchèrent de lui, et attendirent pendant qu'il signait une tablette de cire qu'un scribe lui tendait.

Queue-de-cheval se détourna du scribe et détailla les filles des pieds à la tête.

– Des nymphes des eaux pour le numéro d'Orphée ? demanda-t-il au chauve.

– Oui, grogna le chauve.

– Elles ont l'allure qu'il faut pour le rôle, commenta Queue-de-cheval. Comment tu t'appelles, ma chérie ? demanda-t-il à l'une des filles.

Flavia n'entendit pas la réponse qu'elle marmonna.

– Quel âge as-tu ? Douze ans, à peu près ?

La fille hocha la tête et braqua ses yeux bleus sur lui d'un air solennel.

– Née libre ?

La fille acquiesça.

– Tes parents sont toujours en vie ?

– Ma mère, oui.

– Blastus, espèce d'imbécile ! dit Queue-de-cheval à l'homme chauve. Le frère de l'empereur veut des esclaves et des orphelines. Trouve-moi des blondes qui sont des esclaves ou des orphelines. Désolé, ma chérie, tu ferais mieux de rentrer chez toi.

La fille fondit en larmes et partit en courant.

– Et toi ? demanda Queue-de-cheval à l'autre fille. Comment tu t'appelles ?

– Marcia, dit-elle d'une voix claire.

– Quel âge ?

– Dix ans.

– Tes parents sont vivants ?

– Non. Je suis orpheline, je vis toute seule.

– Ça se voit, commenta Queue-de-cheval. Mais tu feras l'affaire. Après-demain à la même heure, tu auras mille sesterces en pièces d'or. Pas mal pour quelques heures de travail, non ?

Il lui tapota la tête et se tourna vers Blastus.

– Dis à Mater de lui donner un bain, de la parfumer et de la faire belle. Puis sors m'en trouver une autre. J'en veux une belle demi-douzaine.

– Oui, patron.

Quand Blastus et Marcia s'éloignèrent, ils passèrent près de l'arche où Flavia et Tigris se cachaient. Marcia disait quelque chose à Blastus, et son sourire dévoilait de petites dents pointues. Flavia se plaqua contre le mur en stuc peint, le cœur battant. Elle venait de la reconnaître. C'était la petite mendiante qui lui avait parlé au pied de la montagne de tessons.

Nubia se tenait au milieu d'une foule de Romains qui regardaient une succession de charrettes gagner l'entrée de cérémonie de l'amphithéâtre. Leur défilé durait depuis près d'une heure, et Nubia avait compté plus de cinquante animaux exotiques, dont des girafes, des éléphants, des tigres, des ours et des lions. Soudain, la foule hoqueta de stupeur : une charrette remplie d'eau conduisait une énorme bête grise vers l'entrée principale.

Quand Nubia était arrivée, il y avait peu de monde. À présent, la foule était dense et continuait de s'élargir.

– C'est un hippopotame ! cria un homme.

La foule se pressa vers l'avant pour voir la bête.

– Reculez ! hurla l'homme qui marchait derrière la charrette. Ces animaux sont extrêmement dangereux !

Quelques instants plus tard, Nubia entendit le cliquetis de pas caractéristique d'un bataillon de soldats en marche. Ils prirent position devant la foule.

Nubia comprit qu'elle devait agir vite. Sinon elle ne pourrait jamais entrer dans l'amphithéâtre.

Elle se remémora les paroles de Flavia : « Le secret, c'est de vous comporter comme si vous aviez le droit d'être là. »

Nubia prit une profonde inspiration et sortit hardiment de la foule pour suivre des esclaves qui marchaient à côté d'une grande cage en bois.

– Hé, toi ! entendit-elle quelqu'un hurler.

Elle garda résolument les yeux fixés devant elle, résistant à la tentation de paniquer et de s'enfuir.

– Hé, toi ! répéta la voix. Hercula ! Tu vas combattre ce lion à mains nues ?

Des éclats de rire.

Nubia soupira intérieurement, soulagée. C'était juste sa cape qui attirait l'attention : une cape en peau de lion comme celle que portait Hercule, le héros mythique. Elle jeta un regard furtif à la cage à côté d'elle. Elle était trop bas pour voir l'animal sous la petite fenêtre fermée par des barreaux, mais elle sentait une odeur de lion.

Soudain, elle hoqueta de terreur : une poigne de fer venait de se refermer sur son poignet.

– Désolé, ma petite, dit sévèrement le soldat, mais tu vas devoir venir avec moi.

ROULEAU VII

Lupus s'enfonçait dans le grand amphithéâtre, tout en donnant des coups de balai.

Deux ouvriers passèrent devant lui. L'un portait des cordes épaisses piquées de fleurs et l'autre des pots de peinture. Aucun des deux ne prêta attention au petit esclave qui balayait les couloirs.

Plus il avançait, à cet étage, plus l'endroit devenait sombre. Ici, les couloirs étaient éclairés par des torches vacillantes fixées au mur. Lupus songea que si elles s'éteignaient, les gens pourraient errer éternellement dans ce labyrinthe.

À présent, il était seul. Il n'avait croisé personne depuis cinq ou dix minutes et il n'avait que le bruit de frottement de son balai de brindilles pour tenir à distance la peur et les fantômes.

Soudain, il cessa de balayer. Un étrange gémissement émanait de la bouche sombre du couloir, devant lui. Lupus sentit le duvet de sa nuque se hérisser, comme les poils sur le dos d'un chien apeuré.

Jamais, de toute sa vie, il n'avait eu une prémonition d'horreur aussi nette qu'à cet instant. Alors il fit la seule chose raisonnable qu'il puisse faire.

Il lâcha son balai, tourna les talons et partit en courant.

– Tu ferais mieux de t'éloigner d'ici ! dit le soldat à Nubia. Sauf si tu es avec ce lion.

– Bien sûr qu'elle est avec ce lion, intervint une voix d'homme marquée d'un fort accent, derrière Nubia. Vous ne voyez pas qu'elle porte la peau de son père ?

– Mnason ! s'écria Nubia, ravie.

Elle avait rencontré ce dresseur syrien à Ostia ; elle l'avait aidé à recapturer un lion et une girafe qui s'étaient échappés[1].

Le soldat haussa les épaules et relâcha le poignet de Nubia.

– J'essaie de maintenir un peu l'ordre, grogna-t-il, et il s'éloigna dans un cliquetis le long de la file de charrettes.

– Nubia ! Quelle délicieuse surprise ! dit Mnason, quand le soldat fut trop loin pour les entendre. Je suis content de voir que tu portes la cape que je t'ai donnée.

– Je l'aime beaucoup. Elle me tient chaud. Est-ce que Monobaz est ici ?

Mnason hocha la tête et agita le pouce vers la charrette derrière eux.

– Juste là…

1. Voir *Les mystères romains*, tome 6 : *Les 12 travaux de Flavia*.

– Il va bien ?

Mnason vint marcher à côté d'elle et ils avancèrent auprès de la charrette, qui progressait lentement.

– Il est en pleine forme, ma chère. En pleine forme. Et il a un numéro au programme de demain !

– C'est une bonne chose ?

– De passer le premier jour des jeux ? Le jour le plus spectaculaire ? On peut le dire, oui.

– Il ne va pas manger des gens, n'est-ce pas ? demanda Nubia d'une petite voix.

– Bien sûr que non ! s'esclaffa Mnason. C'est un lion dressé, pas un vulgaire mangeur d'hommes. Attends de voir ça !

Enfin, la charrette franchit l'entrée de cérémonie, en passant sous une sculpture en marbre qui représentait une carriole attelée à quatre chevaux.

Nubia hésita.

– Tu viens ?

– Oui, dit-elle en prenant une profonde inspiration. Je viens avec vous et Monobaz.

– Excusez-moi, jeune demoiselle.

Flavia sursauta. Un homme maigre, chargé de plusieurs rouleaux de papyrus, se tenait derrière elle. Il regarda Tigris, qui haletait doucement.

– Vous promenez juste votre chien ? demanda-t-il gentiment.

De toute évidence, il était scribe ou clerc.

– Euh, oui.

– Eh bien, vous avez l'air d'une jeune fille de bonne famille, alors permettez-moi de vous donner un conseil. Ne traînez pas sous les arches. C'est ici que les femmes en toge[1] exercent leur activité. Vous pourriez être l'objet... d'attentions indésirables.

– Ah. Merci. Nous allions partir, mon chien et moi.

Flavia donna un petit coup sur la laisse de Tigris et, tandis qu'elle sortait du passage voûté, l'homme mince consulta sa tablette de cire et la rejoignit en courant.

– Attendez ! Avant de partir... Je cherche l'organisateur, Quintus Fabius Balbus. Cet homme, là-bas, avec la queue-de-cheval... est-ce le magister ludi[2] ?

Flavia regarda Queue-de-cheval.

– Oui, dit-elle en se retournant vers le scribe. Je pense que c'est lui.

Lupus afficha un sourire penaud.

Quel lâche il était ! Il se trouvait dans les profondeurs d'un vaste monument dédié aux exécutions violentes, et y cherchait des criminels condamnés

1. Vêtement masculin. Tenue traditionnelle du citoyen romain, la toge se porte drapée. Les femmes de mauvaise vie portent également la toge.
2. Le « maître des jeux ». C'est la personne chargée d'organiser les jeux.

à mort. Que pensait-il entendre ? Des chants d'allégresse ?

Il inspira profondément, fit demi-tour et se força à reprendre sa progression dans les couloirs. À retourner d'où il venait. En direction de l'étrange gémissement.

Lupus retrouva son balai là où il l'avait laissé. Il le ramassa et regarda tristement les trois couloirs sombres devant lui. Il ne savait pas du tout lequel emprunter. Le bruit étrange avait cessé ; on n'entendait plus que le crépitement des flammes sur les torches accrochées au mur. Le garçon ferma les yeux, appuya le front contre le manche de son balai et récita une prière.

– Toi, là ! Arrête de te reposer sur ton balai et donne-moi un coup de main.

Lupus sursauta. Un esclave en tunique pâle le fusillait du regard.

– Prends un de ces seaux, lui ordonna l'esclave.

Il avait sur la paupière droite une énorme verrue qui lui donnait une expression déplaisante.

– Allez ! Je n'ai pas toute la journée. C'est l'heure de nourrir les prisonniers.

Lupus lâcha son balai et courut lui prendre un des seaux en bois. Il était rempli d'eau ; le garçon voyait un pichet en cuivre, au fond. Le grand esclave passa le seau qui lui restait dans l'autre main et ajusta l'énorme sacoche en toile qu'il avait sur une épaule. Puis il partit dans le couloir du milieu.

– Fungus était censé m'aider, dit-il par-dessus son épaule, mais il ne fait jamais sa part. Toujours à jouer aux dés avec Pupienus. Allez, mon petit ! Avance ! Et tâche de ne pas renverser d'eau : ça rend le sol boueux.

Mnason siffla doucement.

– Regarde cette cage ! dit-il. Lumineuse, bien aérée, avec un abreuvoir constamment rempli et du foin frais sur le sol. Tu as vu ça, Monobaz ?

Le lion émergea de sa cage en bois en clignant des yeux, descendit la rampe à pas de velours et renifla le foin. Puis il s'affala sur le flanc.

– Rien que le meilleur pour mon chaton, roucoula Mnason en le grattant derrière l'oreille.

Tout le corps du gros chat se mit à vibrer, secoué par un ronronnement rythmé.

– Je me demande où ils enferment les prisonniers, dit Nubia en regardant autour d'elle.

– Eh bien, si leurs cellules sont à moitié aussi agréables que celles-ci, ils ne voudront pas s'en aller, hein, Monobaz ?

Lupus suivit Verucus dans une salle voûtée, obscure, et la forte odeur de transpiration et d'excréments humains lui donna des haut-le-cœur. Derrière une seconde grille de barreaux métalliques, plus de deux cents visages se tournèrent vers lui quand la porte se referma en claquant. Les prisonniers – qui étaient presque tous des hommes barbus – étaient assis sur le sol en terre battue. La seule personne debout était un petit homme avec un turban, qui, de toute évidence, avait harangué les criminels.

Lupus nota qu'il portait un foulard noir et blanc sur les épaules. À la synagogue de Jonathan, il avait vu un rabbin qui portait un foulard de ce genre.

Lupus se prépara à affronter la ruée que Verucus avait prédite, mais les prisonniers restèrent assis.

– Bien, leur dit le rabbin dans un latin marqué d'un accent. C'est bien. Pas de panique. Pas de lamentations. Maintenant, nous allons passer le pain aux garçons les plus jeunes en premier. Puis à nous, les hommes. Et j'aimerais que deux d'entre vous...

Il balaya l'assemblée du regard, puis tendit le doigt.

– ... toi, Reuben... et toi, Schmuel... vous alliez chercher l'eau et la distribuer. N'oubliez pas que le Maître de l'Univers – qu'il soit béni – nous regarde. Nous avons une occasion de le satisfaire dans les dernières heures de notre vie. Combien de gens ont cette chance ?

Tandis que les deux barbus se faufilaient prudemment vers les barreaux parmi la foule d'hommes assis, Lupus étudia rapidement les prisonniers, en quête de son ami. À plusieurs reprises, son cœur se mit à battre plus vite, car il y avait un nombre étonnant de têtes brunes aux cheveux bouclés, mais aucun d'entre eux n'était Jonathan.

Verucus sortait des disques coriaces de sa sacoche en toile et les tendait entre les barreaux à des mains impatientes. Tandis qu'on faisait passer le pain à ceux qui en avaient le plus besoin, le rabbin entonna un chant dans une langue étrangère. Lupus reconnut aussitôt les premiers mots de la bénédiction en hébreu[1] que le père de Jonathan récitait tous les jours avant le repas :

– *Barouch ata adonaï elohaï nou melech ha olam…*

Le garçon eut l'impression qu'on venait de lui donner un coup de pied dans le ventre. Il avait soudain compris qui étaient ces prisonniers. C'étaient tous des Juifs.

– Eh bien, dit Mnason à Nubia, je vais poser la question autour de moi, mais les prisonniers sont dans une autre partie de l'amphithéâtre. J'ai entendu dire qu'il y avait des cellules du côté ouest…

– Papa ! appela un jeune garçon d'environ quatorze ans.

1. Langue sacrée de l'Ancien Testament, parlée par les juifs religieux au Ier siècle.

75

Il avait les cheveux noirs et la peau mate, comme Mnason, mais ses joues étaient glabres.

– Viens vite ! Les gladiateurs s'apprêtent à répéter leur entrée en procession dans l'arène.

Mnason, qui brossait la fourrure dorée de Monobaz, leva la tête.

– Nubia, je te présente mon fils, Bar-Mnason. On l'appelle Bar pour faire plus court.

Bar regarda Nubia des pieds à la tête, puis sourit.

Mnason ôta l'un de ses colliers – un carré d'argile marqué d'un cachet, enfilé sur un lacet de cuir – et le tendit à Nubia.

– Tiens. Prends ça. C'est un laissez-passer pour l'espace des dresseurs d'animaux. Si quelqu'un te demande ce que tu fais, dis juste que tu es avec le groupe de Mnason. Maintenant, cours voir les gladiateurs avec Bar. Tu pourras m'aider à nourrir Monobaz plus tard.

– Hé, toi ! Qu'est-ce que tu fais là ? Cette zone est strictement interdite.

– Je suis désolée, monsieur, zozota Flavia de sa voix de petite fille, mais mon chien est entré... Je vais juste le chercher.

Flavia indiqua Tigris, qui l'attendait patiemment en haut des marches, dans une arche de l'amphithéâtre.

Le garde l'étudia en plissant les yeux.

En pensant à Jonathan, Flavia parvint à se faire venir les larmes aux yeux. Elle fit également trembler son menton.

– Oh, d'accord ! Mais fais vite. Ne traîne pas !

– Oui, monsieur. Merci, monsieur.

Flavia soupira. Elle ne pourrait plus utiliser le coup de la petite fille très longtemps. Elle monta les marches de marbre quatre à quatre, attrapa la laisse de Tigris, et tous deux s'enfoncèrent dans le bâtiment. Peu après, le chiot l'entraîna dans un espace lumineux, qui sentait le miel, avec de grandes colonnes colorées et un petit parapet en marbre.

L'odeur sucrée venait de guirlandes de fleurs printanières enroulées autour du haut des colonnes, devant elle. Des pivoines roses, des narcisses jaunes et des crocus violets étaient entrelacés avec du chèvrefeuille crème. C'étaient précisément les couleurs qu'on retrouvait dans le marbre des colonnes polies.

Flavia s'avança et découvrit tout l'amphithéâtre dans l'encadrement des colonnes.

Elle lâcha un hoquet de stupeur.

Il était immense !

Rangée après rangée, des gradins en marbre s'élevaient en dégradé devant elle. Le sol était un énorme ovale de sable clair et une toile rouge était tendue au-dessus, tout là-haut. Alors qu'elle se tordait le cou pour l'observer, Flavia vit un grand pan de toile rouge se replier – sans intervention humaine, semblait-il. Un soupçon de bleu entre les nuages effilochés promettait du beau temps pour le lendemain.

En inspectant les alentours, Flavia s'aperçut qu'elle se tenait dans la première rangée du grand amphithéâtre et, soudain, devina qu'elle était dans la loge impériale. Demain, l'empereur en personne viendrait s'asseoir ici.

De chaque côté, des esclaves s'activaient au-dessus des sièges : ils trempaient un pinceau dans un pot d'argile et l'appliquaient sur les bancs en marbre incurvés qui occupaient tout l'espace réservé aux spectateurs. Flavia baissa les yeux pour observer l'un des esclaves, et vit qu'il remplissait de peinture rouge les numéros gravés sur les sièges pour les rendre plus faciles à lire. Il rehaussait également les lignes qui séparaient chaque siège de la place voisine.

Soudain, Flavia s'immobilisa. Un gémissement étrange remplissait l'amphithéâtre. On aurait dit un grognement de géant.

Le bruit semblait provenir d'un objet posé sur les sièges du premier rang, à un bout de l'arène. Un grand coffre en bois, d'où dépassait une rangée de tubes cuivrés de différentes longueurs. Ces tubes lui évoquaient une flûte de pan tenue à l'envers, et elle comprit qu'il s'agissait bel et bien d'un instrument de musique, doté de gigantesques tubes en bronze.

Un homme se tenait derrière la boîte et deux esclaves étaient accroupis de chaque côté. L'homme ne soufflait pas dans l'instrument, mais faisait quelque chose pour qu'il émette des sons. Le bruit était plus léger, plus aigu à présent – on avait l'impression que le géant fredonnait. Le cœur battant par anticipation, excitée par l'événement que cette mélodie semblait annoncer, Flavia sentit son estomac se nouer.

Elle vit que nombre d'esclaves s'étaient interrompus pour regarder, eux aussi, et depuis la rangée invisible au-dessus de sa tête, elle entendit un homme hurler :

– Retournez travailler, vous !

Tandis qu'elle écoutait, sans bouger, le son fascinant de cet étrange instrument, Flavia vit deux silhouettes apparaître à l'autre bout de l'arène, à sa hauteur. Elle plissa les yeux. L'une des deux avait la peau noire et une cape fauve. Nubia !

Flavia lui fit signe, et son amie lui répondit de même. Flavia secoua lentement la tête et haussa exagérément les épaules, pour lui signaler qu'elle n'avait encore rien découvert.

À l'autre bout de l'arène, Nubia vit Flavia secouer la tête et hausser les épaules. Elle acquiesça pour montrer qu'elle avait compris, puis se montra du doigt et secoua la tête à son tour.

– Tu la connais ? lui demanda Bar, étonné.

Elle fit signe que oui.

– C'est mon amie Flavia Gemina. Qu'est-ce que c'est que ce bruit ?

– L'orgue aquatique ? Tu n'en avais jamais entendu parler ? C'est bizarre, hein ?

– J'aime bien.

– Moi aussi. D'après Papa, ça sert juste à exciter la foule, mais je trouve que ça rend les jeux plus palpitants.

L'orgue aquatique joua une nouvelle série d'accords solennels. Soudain, les coups de trompette d'une fanfare éclatèrent et Nubia vit deux hommes en toge émerger d'une porte voûtée, sous l'orgue. Ils transportaient d'étranges paquets de brindilles, ou quelque chose de similaire. Trois hommes soufflant dans de grandes trompettes incurvées débarquèrent derrière eux dans l'arène lumineuse. Ensuite, les combattants arrivèrent.

– Les voilà ! dit Bar. Voilà les gladiateurs !

Quand les hommes qui précédaient la procession entrèrent dans l'arène, Nubia vit un esclave occupé à ratisser le sable se figer, les yeux écarquillés, puis filer.

Un peu plus tard, un homme en queue-de-cheval apparut sur la piste.

– C'est Fabius, lui apprit Bar. Le magister ludi, celui qui est chargé de tout organiser. Il paraît que si les spectacles sont réussis, Titus lui donnera une villa à Baiae[1] et une maison de ville à Rome. Mais si les jeux sont ratés, il risque sa tête.

Nubia vit Fabius s'approcher d'un homme robuste, en tunique crème, qui avait surgi avec les gladiateurs. Bar le pointa du doigt.

– Je crois que c'est Rotundus, le lanista.

– C'est quoi, un lanista ? demanda Nubia.

– L'entraîneur et l'agent des gladiateurs, expliqua Bar. Tu ne sais pas lire, je suppose ?

– Si, j'apprends.

---

1. Région de la baie de Naples où les gens les plus fortunés possédaient des villas.

– Tu arrives à lire la bannière que ces deux hommes transportent ?

– Ça dit… *Ludus Aureus*.

– Alors c'est bien Rotundus. Le Ludus Aureus, c'est la nouvelle école de gladiateurs, à Rome, et il en est le lanista. Hé ! Tu vois ce gladiateur blond aux cheveux bouclés ?

Nubia fit signe que oui.

– C'est Crescens. L'un des plus célèbres retiarii.

– Qu'est-ce que c'est, les retiarii ?

– Les hommes à filet. Ils se battent avec un filet, un trident et un poignard. Et je crois que lui, là-bas, c'est Celadus le Thrace[1]. Là. Le chauve.

– Mon frère est gladiateur, dit Nubia.

Bar la considéra avec de grands yeux.

– Ton frère est gladiateur ?

Elle hocha la tête.

– Il a été emmené comme esclave et il suit l'entraînement de gladiateur à l'école de Capoue[2]. Il est très loin de Rome.

– L'école de Capoue ! souffla le jeune Syrien. C'est la meilleure d'Italie. Mon père et moi, nous y sommes allés l'an dernier. C'est de là que venait Spartacus*.

1. Gladiateur doté de protections métalliques par-dessus des jambières molletonnées et d'un casque à larges bords. Il se bat avec un petit bouclier carré et une épée incurvée.
2. Connue aujourd'hui sous le nom de Santa Maria Capua Vetere, à 30 km au nord de Naples, Capoue était célèbre, à l'époque romaine, pour son école de gladiateurs établie par Jules César.

– Spartacus ? répéta Nubia.

Ce nom lui paraissait familier.

Bar se mit à parler tout bas, bien qu'ils soient seuls.

– Oui. C'était un gladiateur qui a vécu il y a cent cinquante ans. Mais sa légende est toujours vivante. Il s'est échappé de l'école de Capoue et il était si bien entraîné qu'il a survécu pendant deux ans, avec d'autres esclaves en fuite, avant d'être repris.

– Peut-être que mon frère s'échappera lui aussi, murmura Nubia.

– J'espère qu'il n'essaiera pas ! souffla Bar en lui jetant un rapide coup d'œil. Sinon il subira le même sort que les révoltés de Spartacus.

– C'est-à-dire ?

– Les six mille esclaves en fuite ont été crucifiés, lui confia-t-il à voix basse. Capoue est peut-être loin, mais leurs croix bordaient toute la route de Capoue jusqu'à Rome.

– Par Junon[1] ! s'écria Flavia, quand un doigt lui tapota l'épaule.

Puis :

– Ah, Lupus ! C'est toi. Tu m'as fait tellement peur que tu as failli m'expédier dans le Tartare !

Elle plaqua une main sur son cœur battant. Tigris avait accueilli Lupus en agitant brièvement la

1. Reine des dieux romains et femme de Jupiter.

queue et, à présent, reniflait les sandales du garçon avec un vif intérêt.

– Viens, siffla Flavia en tirant Lupus par la manche de sa tunique. Allons derrière cette colonne. Je crois que nous sommes dans la loge de l'empereur. As-tu trouvé Jonathan ?

Lupus secoua la tête et écrivit sur sa tablette de cire : *Beaucoup de Juifs.*

– Qui ? demanda Flavia. Où ça ?

Puis elle écarquilla les yeux.

– Tu veux dire que les criminels qui vont être exécutés sont des Juifs ?

Lupus hocha la tête.

Flavia appuya le front contre la colonne lisse et froide. À côté d'elle, Tigris se mit à gémir et à tourner en rond.

– Je suis désolée, Tigris, murmura-t-elle.

Le grand chiot de Jonathan partit vers la balustrade en marbre. Il se dressa pour poser les pattes avant sur le muret.

Lupus le rejoignit, s'immobilisa à côté d'une grande colonne polie et examina l'arène. Il poussa un grognement ébahi et se tourna vers Flavia pour lui faire signe d'approcher.

Elle s'avança jusqu'au parapet. Et hoqueta de stupeur.

Des centaines de gladiateurs et leurs assistants avaient rempli l'arène. Immobiles et silencieux, ils regardaient attentivement Fabius. D'une voix sèche, le magister ludi lança un ordre que Flavia n'entendit pas, et les cinq cents hommes se tournèrent face aux deux enfants.

La jeune fille se précipita derrière sa colonne et colla le dos contre sa surface arrondie et fraîche. Puis elle jeta un nouveau coup d'œil.

Entre Lupus et elle, le grand chiot de Jonathan était toujours dressé sur le muret en marbre, les yeux à demi fermés, en train de flairer l'air.

Comme un seul homme, les gladiateurs tendirent la main droite vers Tigris.

– Avé, César ! lancèrent-ils. Nous te saluons !

Tigris agita la queue.

Et puis, pour la première fois depuis un mois, il se mit à aboyer.

ROULEAU X

L upus s'empara de la laisse de Tigris et tira dessus pour arracher le grand chiot à la balustrade.

– Oh, par Pollux ! jura Flavia. Les gardes nous ont vus !

Lupus traîna Tigris dans l'escalier en marbre poli, puis s'élança en courant dans un couloir étroit. Il entendait le claquement des sandales de Flavia juste derrière lui. Elle le suivit vers une lumière orangée, et peu après, ils débouchèrent de l'une des grandes sorties voûtées dans le coucher de soleil nuageux de mars.

Lupus entendait toujours de lourdes bottes ferrées tambouriner derrière eux.

– Là ! s'écria Flavia. On peut se cacher derrière ces charrettes de sable.

Il répondit par un grognement et obliqua vers une file de charrettes qui attendaient d'être déchargées.

Un soldat surgit devant lui.

– Hé, vous, les gosses ! Qu'est-ce que vous faites là ? Arrêtez !

Lupus tourna à gauche et Tigris partit vers la droite, de sorte que la laisse du chiot se tendit. Le soldat trébucha dessus et s'effondra lourdement au sol, avec un grognement et un fracas d'armure métallique.

– Par les… Revenez, petites pestes ! rugit-il, en se remettant péniblement sur pied.

Mais Lupus détalait à la suite de Tigris, en direction du forum. Flavia était en tête, à présent, elle fonçait vers les charrettes.

Ils les atteignirent et se faufilèrent entre deux véhicules pour rejoindre la fontaine conique en marbre noir. Lupus reprit enfin la laisse de Tigris, l'enroula autour de son poignet et s'accroupit derrière la fontaine. Puis il jura tout bas. Tigris s'était remis à aboyer.

– Chut, Tigris ! haleta Flavia. On ne veut pas que les gardes nous trouvent. Chut ! Pourquoi il aboie, maintenant ? demanda-t-elle à Lupus en posant délicatement la main autour du museau du chiot pour étouffer ses aboiements, qui devinrent un gémissement.

Lupus haussa les épaules. Il avait le souffle court, lui aussi, et le cœur battant, mais il sentit un sourire s'étirer sur son visage. Il adorait les bonnes courses-poursuites, surtout quand il échappait à ses poursuivants.

Mais quand il entendit un bruit de course de l'autre côté de la fontaine, son sourire disparut.

On les avait découverts.

– Ah, Nubia, c'est toi ! s'écria Flavia. On croyait que c'était le garde… Ouf !

Nubia hocha solennellement la tête et les considéra avec de grands yeux.

– J'ai entendu Tigris, dit-elle. J'ai vu tous les gladiateurs lever la tête vers lui, depuis l'arène, quand il s'est mis à aboyer. Ensuite, vous vous êtes enfuis, alors je suis sortie de l'amphithéâtre et je vous ai vus courir derrière ce grand truc mouillé.

– Tant mieux, dit Flavia en se redressant et en regardant autour d'elle. Le soleil se couche. Il fera nuit dans moins d'une heure. Je pense que nous ferions mieux de rentrer, tous les trois.

– Où est Caudex ? demanda Nubia. On ne peut pas rentrer sans lui.

– Tu as raison ! Il devait nous retrouver ici. Où peut-il être ?

– Sisyphe ! s'écria Flavia en courant dans le bureau du sénateur Cornix. Où est tout le monde ?

– Ils finissent de dîner.

Debout en train de dérouler un papyrus, il leur tournait le dos.

– Mais je ne te parle plus.

– Pourquoi ?

– Tu es allée enquêter sans moi. Je boude.

Il jeta un coup d'œil par-dessus son épaule et Flavia soupira de soulagement : ses yeux noirs pétillaient d'humour.

— Oh, Sisyphe, je suis désolée ! Nous voulions t'inviter, mais tu n'étais pas là. Alors nous sommes allés avec Caudex et Aulus voir la... Est-ce qu'ils sont rentrés ?

— Le jeune Aulus est ici, mais je n'ai pas vu Caudex...

Sisyphe remit le rouleau dans sa boîte et se tourna face à eux.

— Venez dans la cuisine, je vais voir si Niobé a encore trois bols de soupe. Ensuite, vous pourrez me raconter ce que vous avez découvert.

Tôt le lendemain matin, avant l'aube, Nubia et ses amis rejoignirent le sénateur et sa famille dans l'atrium, éclairé par des torches, pour la première journée des jeux d'inauguration.

Le sénateur Cornix se tenait devant l'autel familial, la tête couverte par un pan de sa toge. Quand il eut invoqué la protection du génie de la famille et des dieux du foyer, il se découvrit la tête et attendit que chacun de ses enfants le salue.

— Bonjour, Pater, dirent-ils tous en passant devant lui dans la lueur vacillante des torches.

Chacun lui adressa un signe de tête respectueux. Sauf Rhoda, qui courut vers son père et lui enlaça les genoux.

Le sénateur la détacha avec fermeté, mais il avait une lueur amusée dans le regard et il posa un baiser sur le haut de sa tête.

– Bonjour, oncle Aulus, dit poliment Flavia. Encore merci de nous accueillir et de nous emmener aux jeux aujourd'hui. Caudex est-il rentré ?

Il fronça les sourcils et secoua la tête.

– Nous ferons une offrande et nous réciterons une prière pour qu'il rentre sain et sauf. Bonjour, Nubia.

– Bonjour, oncle Aulus, dit Nubia.

L'odeur de fumée des torches lui évoquait toujours l'aventure. Chez eux, à Ostia, ils ne se levaient avant l'aube que lorsqu'il y avait un mystère à résoudre.

Le sénateur sourit avec les yeux.

– Et bonjour à toi, Lupus.

Le petit muet hocha respectueusement la tête.

Comme eux, Lupus portait une tunique blanche pour assister aux jeux. Nubia songea que cela lui donnait un air très noble. On aurait facilement pu le prendre pour un des enfants du sénateur.

Mais le visage de Lupus était plein de tristesse.

Tigris aussi était triste. Le grand chiot de Jonathan était couché à côté de l'impluvium[1], le

---

1. Bassin d'eau de pluie situé sous une ouverture dans l'atrium.

menton posé sur ses pattes, et les regardait d'un œil grave s'activer à la lueur des torches.

Pendant que les autres récupéraient leurs manteaux sur des patères dans le couloir obscur, Nubia s'accroupit pour le caresser.

– Je suis désolée, Tigris, murmura-t-elle. Je sais que tu aimes bien les gladiateurs, mais les chiens sont interdits dans l'amphithéâtre. Attends-nous ici ; si Caudex revient, tu pourras lui indiquer où nous sommes.

Devant Flavia, un croissant de lune oblique et lumineux flottait dans le ciel bleu foncé. Le soleil ne s'était pas encore levé. Mais elle vit que, malgré l'heure matinale, les abords de l'amphithéâtre grouillaient de milliers de gens excités.

– Nous y voici, dit le sénateur Cornix en consultant son ticket d'ivoire, puis les chiffres romains au-dessus de l'arche. Entrée numéro soixante-dix.

Ils les conduisit sous l'arche et monta des marches jusqu'au premier étage.

– Chérie, dit-il en poussant délicatement sa femme et ses enfants à l'écart de la ruée de Romains émoustillés, retrouvons-nous ici à la pause de midi. Là-bas, à côté de la statue d'Orphée.

– Comme tu voudras, dit Cynthia avec un soupir.

Flavia fronça les sourcils.

– On ne vient pas avec toi ?

Aulus Junior se tourna vers elle et lui adressa un sourire narquois.

– Pater et moi, nous allons nous asseoir ici, à l'étage des sénateurs, expliqua-t-il. Mais les femmes, les esclaves et les *enfants* doivent aller tout en haut sous les combles. Loin, loin là-haut. Dommage, hein ? Vous ne verrez vraiment pas grand-chose.

Flavia lui tira la langue tandis qu'il s'éloignait, le dos tourné, puis suivit les autres en soupirant.

Une brise glaciale, comme souvent au lever du soleil, se fit sentir au dernier étage de l'amphithéâtre, et Nubia resserra sa peau de lion sur ses épaules. Elle s'installa sur le coussin que l'esclave de dame Cynthia avait placé sur le siège en bois et leva les yeux. Dans le ciel matinal, les étoiles avaient toutes disparu et le bleu devenait de plus en plus clair. Elle baissa la tête pour regarder l'arène, en bas.

Et son estomac fit un bond. L'à-pic était vertigineux.

Depuis cette place en hauteur, l'arène paraissait minuscule. Nubia pouvait la masquer en tendant les deux mains devant elle.

Flavia exprima tout haut les pensées de son amie :

– Tante Cynthia ! On ne pourra rien voir d'ici ! Pourquoi doit-on s'asseoir si haut ?

Sa tante se tourna vers elle en soupirant.

– Je sais. C'est ridicule. Nous pourrions aussi bien regarder des fourmis s'agiter sur une fourmilière. Mais c'est considéré comme décadent de laisser les dignes matrones romaines et les enfants bien nés regarder des gens jouer le rôle de quelqu'un d'autre. Nous devrions déjà nous estimer heureux d'être ici.

– Franchement, je suis soulagé, intervint Sisyphe, qui avait choisi de venir avec eux. Je ne supporte pas la vue du sang. Ça me donne la nausée ! Et puis nous sommes tout de même au premier rang de cette section, et aucune de ces colonnes ne nous bloque la vue. En plus, nous serons à l'ombre.

Il indiqua l'auvent en bois au-dessus d'eux.

– Il fait froid pour le moment, mais vous verrez, quand il sera midi !

Nubia examina les alentours. Les sièges en bois, de chaque côté et derrière elle, se remplissaient rapidement. C'étaient surtout des femmes et des enfants. Les seuls hommes, ici, étaient des esclaves.

Elle se tourna vers Sisyphe.

– Pourquoi n'y a-t-il que des femmes et des enfants ici, tout en haut ? Et des esclaves ?

Il haussa un sourcil.

– Ma chère amie, d'un seul coup d'œil aux sièges du dessous, tu en apprendras davantage sur la hiérarchie de la société romaine qu'avec soixante-dix rouleaux et dix tuteurs. Tu vois ces colonnes et ces frontons en marbre coloré ? Non, tout en bas. Juste au-dessus de l'arène. Les colonnes avec des guirlandes tendues entre elles.

– Oui, dit Nubia.

– Eh bien, c'est la loge impériale, là où l'empereur va s'asseoir. Plus tu es important dans la société romaine, plus tu es près de cette loge. Tous les autres sièges de cet étage sont pour les sénateurs. À l'exception de la loge qui est en face de celle de l'empereur. Elle est réservée aux vestales. On ne les voit pas d'ici : leur loge est couverte, comme celle de l'empereur.

Nubia hocha solennellement la tête. Sisyphe tendit le doigt.

– Les chevaliers et les représentants de l'État s'asseyent également à cet étage-là, mais derrière les sénateurs. Ensuite, à l'étage au-dessus, tu as la plèbe aisée : marchands, soldats, affranchis qui ont réussi et riches étrangers. Enfin, au troisième étage – juste en dessous de nous –, il y a les plus pauvres et les esclaves. Ceux qui sont tout en bas de l'échelle.

– Pourquoi sommes-nous plus haut que les esclaves pauvres ? demanda Nubia. On est encore plus bas dans l'échelle ?

– Ce n'est pas ça, dit Sisyphe. Une épouse de sénateur, par exemple, compte bien plus qu'un esclave mâle. Non, la raison pour laquelle les femmes et les enfants sont tout en haut, c'est parce qu'on ne veut pas qu'ils soient corrompus par la violence et le sang.

Nubia hocha la tête et regarda les jumeaux, qui avaient tous les deux décidé de s'asseoir près d'elle, chacun d'un côté. Ils portaient le même casque de gladiateur en métal avec des plumes de pigeon colorées, rouges pour Quintus et jaunes pour Sextus. À droite de Nubia, après Quintus, il y avait Lupus, Flavia et Sisyphe. Puis venait dame Cynthia, avec Rhoda sur les genoux. À sa gauche, après Sextus, il y avait Hyacinthe et une esclave nommée Prisca.

Quintus caressait la peau de lion de Nubia. Il la regarda avec de grands yeux sous la visière de son casque.

– C'est toi qui as tué ce lion ? zozota-t-il.

Nubia secoua la tête.

– Non. Cette cape est un cadeau. Pour me remercier d'avoir conquis un lion. Mais c'était un lion parfaitement apprivoisé. Il s'appelle Monobaz.

– Monobaz ? s'écria Sisyphe. Il est mentionné dans le programme.

– Oh, fais voir ! s'exclama Flavia en lui arrachant le papyrus des mains.

Sisyphe fit mine de soupirer et adressa un clin d'œil à Nubia.

Flavia tint le programme à bout de bras pour que tout le monde puisse voir. Nubia essaya de suivre à mesure que son amie lisait de sa voix claire :

PROGRAMME DES JEUX

I^{RE} JOURNÉE D'INAUGURATION DU NOUVEL AMPHITHÉÂTRE

PROCESSION D'OUVERTURE

FUNAMBULES

COMBAT DE BÊTES
avec Monobaz contre Saevus

CHASSE AUX ANIMAUX EXOTIQUES
notamment un camélopard, des lions et une licorne

PARADE DES MOUCHARDS

EXÉCUTION DE CRIMINELS
*un parricide mourra en rejouant l'enlèvement de Ganymède
un voleur mourra en rejouant la mort de Lauréolus*
des zélotes juifs combattront des ours
avec leur poignard incurvé*

COMBATS DE GLADIATEURS FANTAISISTES
avec notamment des femmes

COMBATS DE GLADIATEURS

VENTE D'OMBRELLES ET DE BOISSONS

DISTRIBUTION DE PRIX

Nubia regarda Sisyphe.

– Il y a des femmes dans les combats de gladia-teurs ?

Il hocha la tête.

– Voilà une autre raison pour installer les femmes tout en haut, murmura-t-il. Les sénateurs ont peur que leurs épouses s'en inspirent !

Nubia ouvrit de grands yeux.

– C'est un numéro fantaisiste, pour nous mettre en appétit. Pour amuser la foule avant le début des véritables combats. Parfois, ils font combattre des Pygmées ou des invalides.

Nubia frissonna et regarda autour d'elle. Une heure seulement s'était écoulée depuis l'aube, mais l'amphithéâtre était déjà presque plein. Partout où elle se tournait, elle voyait des gens.

À leur étage, mais de l'autre côté de l'arène, elle aperçut une famille noire. Ils avaient l'air nubiens. C'était une mère avec ses trois enfants, accompa-gnée de deux jeunes esclaves à la peau blanche qui s'occupaient d'eux. Nubia déglutit et cligna des yeux pour chasser les larmes qui lui brouillaient la vue. Elle ne rirait plus jamais avec sa mère et ses frères.

Soudain, elle sentit une petite main chaude se glisser dans la sienne. C'était le jeune Quintus, cinq ans, à côté d'elle. Il l'avait observée. Au même moment, Sextus lui prit la main gauche et, comme s'ils l'avaient répété, ils appuyèrent tous les deux leur tête casquée sur son épaule.

Nubia eut d'autant plus envie de pleurer, et sa gorge se noua une fois de plus. Mais des trompettes stridentes lui firent oublier son chagrin. Les jeux commençaient.

ROULEAU XI

Regardez ! Titus marche en tête de la procession ! dit Flavia en indiquant l'arène.

Sisyphe hocha la tête.

– Je me demande où est son frère. D'après la rumeur, Domitien[1] boude parce que Titus est couvert de gloire.

– Comment fais-tu pour savoir tout ça ? chuchota Flavia.

– Je garde les yeux ouverts et je tends l'oreille…

Sisyphe se pencha en avant sur son siège.

– Mais je ne sais pas tout. Par exemple, je ne sais pas lequel de ces hommes, en bas, est le célèbre Fabius.

Flavia tendit le doigt vers l'arène.

– Là. L'homme avec une queue-de-cheval et une tunique blanche qui marche derrière le trompettiste.

– Ah ! dit Sisyphe en scrutant la lointaine silhouette.

1. Frère cadet de l'empereur Titus.

– Pourquoi est-il célèbre ? demanda Flavia.

Sisyphe pinça les lèvres.

– Pourquoi ? insista-t-elle.

Lupus, Nubia et Hyacinthe se penchèrent à leur tour.

– Mes amis, je ne sais pas si j'oserai vous le dire !

– Oh, s'il te plaît, Sisyphe !

– Très bien.

Sisyphe baissa la voix et répondit dans un chuchotement théâtral :

– Il paraît qu'autrefois, Fabius était un stoïcien*, comme ce pauvre vieux Sénèque. Il était opposé aux jeux pour des raisons morales, parce qu'il trouvait barbare de faire couler le sang. Et puis un jour, des amis l'ont forcé à les accompagner au cirque. Il s'est laissé entraîner, mais il n'a rien voulu voir. Il a gardé les yeux fermés pendant tous les numéros d'acrobates et tous les combats d'animaux. Mais devant la chasse aux animaux, les spectateurs ont poussé un hurlement si retentissant qu'il a ouvert les yeux pour savoir ce qui les faisait crier.

– Et que s'est-il passé ? demanda Flavia.

– Dès qu'il a vu le sang, il en est tombé amoureux ! leur confia Sisyphe, en parlant aussi bas que les acclamations de la foule le permettaient.

Lupus le regarda avec de grands yeux effarés et Nubia répéta :

– Il est tombé amoureux du sang ?

Sisyphe hocha la tête et écarquilla ses yeux bordés de khôl.

– Oui, ça arrive à certains. La soif de sang. Maintenant, Fabius en veut toujours plus. Les combats d'animaux où les tigres et les lions s'affrontent, les dents dégoulinantes, ça le fait rêver. Il adore la mort violente des criminels déchirés en morceaux par les bêtes sauvages. Et surtout, il est fou des combats de gladiateurs. Il baisse le pouce à chaque fois, parce qu'il veut voir du sang.

Flavia s'aperçut qu'elle avait la bouche béante. Elle la referma et regarda autour d'elle. Sa tante recoiffait Rhoda, dont les cheveux s'étaient détachés, mais Lupus, Nubia, Hyacinthe et même les jumeaux fixaient tous Sisyphe avec de grands yeux.

Sisyphe hocha tristement la tête.

– Voilà pourquoi Fabius est devenu organisateur. Un jour, il regardait un combat de gladiateurs particulièrement violent. Le secutor a tranché la tête du retiarius et le sang a jailli comme un geyser, formant une grande flaque rouge tandis que l'homme décapité s'effondrait lentement sur le sable.

– Beurk ! dit Flavia.

Sisyphe leva la main pour la faire taire.

– *Tac*[1] ! Il paraît que Fabius était tellement ébloui par le spectacle de tout ce sang qu'il a foncé

---

1. Forme abrégée de l'impératif latin *Tace* (« Tais-toi »).

s'agenouiller dans le sable et qu'il l'a lapé comme un chien !

– Beurk ! cria tout le monde.

– Pourquoi font-ils ça ? demanda Nubia. Pourquoi les Romains font-ils toujours couler le sang ?

– Pour faire plaisir aux morts, expliqua Sisyphe. Au début, on donnait des jeux lors des enterrements, pour apaiser le défunt.

Nubia fronça les sourcils.

– Mais pourquoi du sang ?

– Il y en a toujours, commenta Flavia.

Sisyphe hocha la tête.

– Le sang, c'est la force.

– Le sang, c'est la vie, intervint tante Cynthia, depuis le bout du banc.

Elle avait la voix rauque.

Tout le monde se tourna vers elle, mais elle garda les yeux fixés sur l'arène.

– Je suppose que c'est exact, dit Flavia après un moment de réflexion. Pour soigner l'épilepsie, d'après l'amiral Pline, il faut boire une coupe de sang de gladiateur chaud. Certains barbares boivent du sang de cheval. Et les chrétiens boivent le sang de leur dieu. C'est Jonathan qui me l'a dit.

En fait, c'est du vin, écrivit Lupus.

Sisyphe acquiesça.

– Certains pensent que la force, l'essence d'une personne se trouve dans son sang. En le buvant, on récupère la force de cette personne.

Lupus nota sur sa tablette de cire :

Comment ça s'attrape, la soif de sang ?

– Ça passe par les yeux, dit Sisyphe en baissant la voix. Et ça touche souvent les gens les plus doux, les plus bienveillants, les plus raffinés…

Il jeta un coup d'œil furtif à Cynthia, qui s'était de nouveau penchée sur Rhoda.

Flavia observa sa tante, puis regarda Sisyphe en haussant les sourcils.

Il répondit par un hochement de tête minuscule, presque imperceptible, puis se pencha vers Flavia pour lui chuchoter à l'oreille :

– C'est pour cette raison, en vérité, que le sénateur quitte la ville demain.

Le soleil était haut dans le ciel quand les funambules terminèrent leur numéro par un exploit qui laissa cinquante mille Romains pantelants, debout sur leurs pieds.

C'était un éléphant qui marchait sur un fil.

Nubia se surprit à se lever aussi.

– Contemplez… Regardez ! s'écria-t-elle. L'éléphant marche sur le fil !

– Méléphant ! cria Rhoda en sautillant sur le banc, à côté de sa mère.

– Il est formidable, dit Hyacinthe.

– Méléphant! gloussèrent les jumeaux.

Et ils reprirent en chœur avec Rhoda:

– Méléphant! Méléphant!

Flavia s'esclaffa.

– Il est incroyable, renchérit-elle. Regardez comme il est concentré!

Nubia éprouva une intense compassion pour le lourd animal qui traversait précautionneusement l'arène, sur une corde qui, de loin, semblait à peine plus épaisse qu'un fil. Un silence absolu régnait dans l'amphithéâtre; même les jumeaux se taisaient, à présent. Nubia garda les yeux fixés sur l'éléphant, craignant qu'il ne tombe si elle détournait le regard.

Mais il ne tomba pas et, quand il posa le pied sur une plate-forme, sain et sauf, des acclamations éclatèrent dans l'immense amphithéâtre.

Presque aussitôt, l'orgue aquatique joua un accord solennel, les trompettes retentirent et la foule se mit à discuter avec animation, quand deux animaux déboulèrent sur le sable de l'arène, en contrebas.

– Il y a un ours, mais qu'est-ce que c'est que l'autre bête, avec une corne? Nubia?

– Je ne connais pas son nom en latin.

– Un rhinocéros, dit Sisyphe. On emploie le mot grec.

– Pourquoi sont-ils enchaînés ensemble? demanda Nubia.

– Ça les force à se battre, expliqua Sisyphe.

Et il frémit.

– Regarde, Maman ! s'écrièrent les jumeaux en chœur. Un ours !

– Ce n'est pas n'importe quel ours, commenta Sisyphe. Il vient de Nubie. Ce sont les ours les plus féroces du monde. N'est-ce pas, Nubia ?

Mais la jeune fille s'était couvert les yeux.

Nubia ne regarda pas le rhinocéros taillader l'ours avec sa corne, puis le piétiner pour le réduire en bouillie. Elle ne vit pas non plus, pendant le combat suivant, le léopard plaquer au sol une girafe terrifiée et commencer à la dévorer vivante.

Elle ne put se résoudre à regarder l'éléphant combattre le taureau et, même quand Flavia lui raconta que l'éléphant victorieux soulevait l'énorme bête morte sur ses défenses, elle refusa d'ouvrir les yeux.

Mais, quand Lupus se mit à sautiller sur son siège et Flavia à crier «Monobaz !», elle s'y résolut.

Un superbe lion doré à crinière noire était entré dans l'arène.

Nubia agrippa le bras de Flavia.

– C'est bien lui ! s'écria-t-elle. Hélas ! C'est Monobaz ! Ils vont lui faire combattre un animal !

Flavia examina le programme.

– Saevus, dit-elle. Il va combattre Saevus.

Le cœur de Nubia s'arrêta et elle regarda Flavia d'un air horrifié.

– Mais ce mot signifie…

Sa voix s'étrangla. Flavia acquiesça tristement :

– Saevus veut dire « cruel » !

Lupus éclata de rire quand l'adversaire de Monobaz entra en bondissant dans l'arène. Il semblait minuscule à cette distance.

– Qu'est-ce que c'est ? demanda Flavia. D'ici, on ne voit qu'un petit point...

– C'est un lapin noir ! dit Nubia, et un sourire fendit son joli visage.

Les rires et les huées furent interrompus par un rugissement tonitruant de Monobaz, qui s'était accroupi dans le sable. Le lapin bondit hardiment vers lui.

La foule se tut tandis que le lapin noir et le lion doré s'approchaient l'un de l'autre. Soudain, le lapin attaqua. Monobaz fit demi-tour et s'éloigna de son adversaire ; la foule éclata de rire et applaudit, ravie. L'orgue aquatique joua une mélodie enjouée. Pendant plusieurs minutes, le lapin pourchassa le lion autour de l'ovale de sable.

Lupus vit que plusieurs personnes de l'assemblée tendaient le doigt vers la loge impériale. Dans sa toge pourpre, l'empereur s'était levé et avait croisé les bras sur sa poitrine. Même à cette distance, Lupus distinguait une grimace sur son visage. Titus se tourna pour dire quelque chose à un chauve en toge qui se tenait derrière lui. Lupus vit l'homme secouer la tête et indiquer l'arène. Il suivit son doigt et vit que, finalement, le lion s'était arrêté face à son agresseur.

Une dernière fois, Saevus le lapin fonça vers lui.

Droit dans la gueule ouverte de Monobaz.

– Oh! s'écrièrent Flavia, Hyacinthe et un millier d'autres Romains au cœur sensible.

Un accord compatissant de l'orgue aquatique fit écho aux lamentations de la foule, puis s'estompa.

Monobaz marcha vers la loge impériale et leva la tête. Là, il ouvrit sa gueule immense : des cris et des rires éclatèrent dans l'arène quand le lapin en jaillit d'un bond, apparemment indemne.

Titus applaudit en riant, puis leva les pouces pour montrer son approbation.

Sous un tonnerre d'applaudissements – et des accords triomphants de l'orgue aquatique –, le lapin bondissant guida Monobaz hors de l'arène.

Nubia se tourna vers Lupus et Flavia.

– J'aime bien les jeux, dit-elle avec un sourire. Ce n'est pas aussi affreux que je le craignais !

Mais au même moment, les trompettes retentirent de nouveau et une centaine de bêtes sauvages déboulèrent dans l'arène par dix entrées différentes. Il y avait des ours, des lions, des sangliers, des léopards et une créature avec une seule corne au milieu du front. La foule lâcha un hoquet de stupeur.

– Regarde, Nubia ! s'écria Flavia. Une licorne !

– Regardez ! reprirent les jumeaux. Une licorne ! Une licorne !

– Micorne ! gazouilla Rhoda.

– Non, chuchota Nubia. C'est juste une antilope. Ils resserrent leurs deux cornes pendant qu'elles sont jeunes pour n'en faire qu'une…

– Elle est magnifique ! dit Hyacinthe. Comment fait-on pour qu'elle ait une seule corne au lieu de deux, Nubia ?

– Oui, dis-nous ! gloussa Flavia.

– Quand les cornes sont encore molles, on les enroule ensemble. Ça leur fait mal parce que…

Mais Nubia ne put terminer. Dans un geste automatique, elle porta la main à sa gorge. Même de cette distance, elle sentait l'odeur qui se dégageait des animaux sur le sable, tout en bas.

C'était l'odeur de la peur.

Flavia parvint à regarder pendant un moment. Au début, les animaux ne voulaient pas se battre. Ils s'agglutinaient au milieu, près du filet central, dans un silence terrifié. Mais des esclaves les piquèrent avec des lances chauffées au rouge et, finalement, les animaux se mirent à s'attaquer les uns les autres.

Heureusement, ils étaient si éloignés qu'ils ressemblaient à des jouets miniatures.

Au bout d'un moment, l'un des lions plongea la tête dans le ventre de la licorne et Flavia dut se détourner. Même de si haut, elle voyait que la superbe proie du lion était toujours vivante.

En tournant la tête, elle vit sa tante penchée en avant, la bouche entrouverte. Les yeux écarquillés, la petite Rhoda regardait alternativement sa mère et les animaux. Elle ne pleurait pas, mais elle tirait sur la stola[1] de Cynthia.

Flavia n'entendait pas Rhoda au milieu des rugissements de la foule, mais elle voyait ses lèvres remuer. Cynthia ne remarquait rien.

La lèvre inférieure de la petite fille se mit à trembler, alors Flavia lui fit signe de s'approcher. Rhoda la rejoignit et grimpa sur ses genoux.

– Le lion manze la micorne, dit-elle à l'oreille de sa cousine.

Flavia hocha tristement la tête.

– Je sais.

Rhoda fourra son pouce dans sa bouche et tourna la tête vers l'arène. Derrière elle, Flavia détourna le regard.

---

1. Robe de femme généralement portée par les femmes mariées.

Peu après, l'orgue aquatique joua un accord assez fort pour se faire entendre par-dessus les cris de la foule. Flavia se força à regarder en bas juste à temps pour voir les chasseurs entrer dans l'arène en courant, pieds nus.

Lupus hocha la tête d'un air approbateur quand les chasseurs arrivèrent. C'était le moment idéal. Les prédateurs s'étaient installés pour dévorer leurs victimes : le combat d'animaux risquait de devenir ennuyeux.

Il y avait six chasseurs. Trois hommes et trois femmes. Ils portaient des tuniques blanches et des jambières blanches matelassées, mais pas de chaussures. Les femmes brandissaient des arcs et les hommes des lances de chasse. Aucun d'entre eux n'avait d'armure protectrice.

Lupus entendit une clameur de femme hystérique, derrière lui :

– Carpophorus ! Carpophorus !

Puis un cri aigu juste à côté d'eux :

– Carpo !

C'était Cynthia, la tante de Flavia. Lupus suivit son regard.

Carpophorus devait être le jeune blond à la peau claire. C'était difficile à dire, à cette distance et sous cet angle, mais il semblait dépasser les autres d'une tête.

La foule hoqueta d'effroi quand il fonça vers le lion qui avait tué la licorne. La bête leva la tête du ventre de sa victime, et des acclamations sonores éclatèrent dans tout l'amphithéâtre quand Carpophorus lui plongea profondément sa lance dans la poitrine. Comme d'habitude, l'orgue aquatique ponctua son coup d'un accord grave, dramatique.

– Il est superbe, non ? hurla Sisyphe par-dessus les cris. Il n'a que dix-sept ans, mais il est déjà connu dans tout l'empire.

Pendant une longue minute, le jeune homme et le lion se battirent au-dessus de la carcasse de la licorne. Même d'ici, Lupus voyait les muscles du chasseur se contracter tandis qu'il maintenait le lion enragé à distance. Il suffirait d'un faux mouvement pour modifier cet équilibre. La lance pouvait se briser comme un cure-dent, et le lion saisirait le chasseur entre ses pattes sanglantes. Les accords de l'orgue aquatique devenaient de plus en plus aigus à mesure que la tension montait.

Admiratif, Lupus regarda le jeune blond continuer à bloquer le lion, en attendant que tout son sang ait coulé sur la licorne. Finalement, le lion s'effondra sur le corps de sa victime et Carpophorus dégagea sa lance d'un coup sec.

L'orgue aquatique chanta. La foule cria de joie.

Carpo ne prit même pas le temps de savourer son triomphe. Il se tourna aussitôt pour attaquer l'ours, qui avait attrapé une des chasseuses et la serrait dans une étreinte terrifiante.

Carpophorus jeta sa lance à deux mains. Elle traça un arc parfait et se planta dans le dos de l'ours. Autour de Lupus, les dames romaines devinrent folles et tout l'amphithéâtre parut scander :

– Car-PO ! Car-PO !

L'ours ouvrit la gueule dans un rugissement inaudible, lâcha la fille et se mit à poursuivre Carpophorus.

Le jeune chasseur reculait devant l'ours en l'esquivant avec agilité, et la bête s'était redressée comme un homme et s'avançait en chancelant ; la lance dépassait toujours dans son dos. L'ours donna des coups vers Carpophorus, d'abord d'une patte, puis de l'autre. La foule poussait des cris d'encouragement et Lupus s'aperçut qu'il hurlait aussi, avec sa bouche sans langue.

Mais Carpophorus laissa l'ours s'approcher trop près. La foule lâcha un hoquet d'horreur et l'orgue aquatique gémit.

– L'ours l'a attrapé ! hurla une matrone quelques rangs derrière. L'ours a attrapé Carpo !

En effet, Lupus vit une tache sombre fleurir sur la tunique blanche qui moulait la poitrine du chasseur.

Soudain, Sisyphe poussa un cri. Dame Cynthia venait de tomber évanouie sur ses genoux.

ROULEAU XIII

Le temps que Sisyphe parvienne à ranimer dame Cynthia et que Lupus porte de nouveau son attention sur le spectacle, Carpophorus avait vaincu l'ours et pourchassait un énorme sanglier. D'un rapide coup d'œil, Lupus constata que la plupart des autres chasseurs étaient morts ou blessés. L'un d'eux – une femme à la peau noire – avait perdu son arc et luttait à mains nues contre un léopard. Lupus se concentra alternativement sur Carpophorus et sur la venatrix[1].

Le chasseur n'avait pas conscience de la blessure qui lui barrait la poitrine, manifestement, bien que le devant de sa tunique fût désormais noir de sang. Il avait piqué sa lance dans le sanglier et s'efforçait de le tenir à distance. À force de se tortiller, l'animal hérissé avait gagné du terrain et la cuisse matelassée du héros était presque à portée de ses défenses dangereusement incurvées.

---

1. Forme féminine de *venator*, qui signifie « chasseur » en latin. Ces hommes et ces femmes habiles prenaient part aux combats d'animaux.

Soudain, la foule s'étrangla. Sans raison apparente, le léopard s'était éloigné de la venatrix noire et s'approchait de Carpophorus par-derrière.

Le fauve s'accroupit, la queue oscillante. La foule et l'orgue aquatique émirent un avertissement.

Lorsque le léopard s'élança dans les airs, Carpophorus fit un bond de côté.

Il y eut des cris de joie quand le léopard atterrit sur le sanglier blessé et que Carpophorus roula sur le sable, sain et sauf. Il se remit aussitôt sur pied, s'empara de la lance d'un camarade vaincu et repartit vers les deux animaux en train de se battre. Il leva le bras très haut au-dessus de sa tête.

Un instant d'immobilité.

Puis il plongea la lance pour empaler léopard et sanglier d'un seul coup puissant et les cloua sur le sol de l'arène. Des acclamations massives résonnèrent dans l'amphithéâtre. Carpo se tourna vers le public et leva les mains dans un geste victorieux.

Ce fut le délire dans la foule.

En regardant le chasseur blond, couvert de sang, aider sa collègue à se redresser, Flavia s'aperçut qu'elle était debout. Quand s'était-elle levée ? Autour d'elle, tout le monde était debout aussi, mais à présent, certains se rasseyaient. Soulagée, Flavia s'affala sur son coussin posé sur le banc et regarda les deux chasseurs, au loin, s'avancer entre les carcasses d'animaux et les corps de leurs camarades pour se planter devant la loge de l'empereur.

Ils s'agenouillèrent sur le sable de l'arène et Titus leur jeta quelque chose à chacun.

– Des sacs d'or, précisa Sisyphe, en hurlant pour se faire entendre dans les acclamations de la foule.

Les genoux de Flavia tremblaient violemment, maintenant que son poids ne reposait plus dessus, alors elle y appuya les mains pour stopper les soubresauts. Mais ses genoux bougeaient toujours tellement qu'elle éclata de rire. C'était si bizarre ! Soudain, elle se sentit très vivante et pleine d'une joie inexplicable.

Les deux chasseurs survivants quittaient l'arène. Flavia s'abandonna à l'humeur de la foule.

– Car-PO ! Car-PO ! Car-PO ! cria-t-elle avec des milliers d'autres.

Elle avait beau hurler de toutes ses forces, elle n'entendait même pas sa voix dans le tintamarre.

C'était la fin de la matinée. Il faisait assez chaud pour que Flavia ôte sa palla bleue.

On avait traîné les bêtes mortes hors de l'arène avec des crochets et ratissé du sable propre sur les flaques de sang. À présent, l'orgue aquatique jouait une mélodie lente, rythmée, qui évoquait un chant funèbre.

– Que se passe-t-il ? demanda Nubia. Qui sont tous ces gens qui avancent au pas ?

– Je vais regarder.

Flavia consulta son programme en papyrus.

– Oh ! C'est la parade des mouchards.

– Qu'est-ce que c'est ?

– Je ne sais pas trop.

Sisyphe cracha un noyau de datte.

– Les mouchards ! La plus vile de toutes les espèces de la Terre ! Ils espionnent les autres et, s'ils voient quelqu'un faire la moindre chose de travers, ils le traînent au tribunal. S'ils gagnent le procès, ils partagent les biens du malheureux avec l'empereur.

– Ils sont tellement nombreux ! s'étonna Nubia.

– Et certains sont sénateurs ! hoqueta Flavia. Vous voyez les larges bandes sur leur tunique ?

Sisyphe acquiesça, la mine sombre.

– Titus n'a pas le droit d'exécuter les hommes bien nés ici, dans l'amphithéâtre. Mais pour les hommes de haut rang comme ceux-là, la honte d'être exhibés devant le peuple est presque pire que la mort.

– Contemplez… Regardez ! s'écria Nubia. Qu'est-ce qu'ils ont autour du cou ?

Lupus forma un V avec ses avant-bras et les referma autour de son cou.

– Oui, tu as raison, Lupus, dit Flavia. Ils portent une sorte de joug qui les force à lever la tête.

Sisyphe applaudit et regarda les enfants avec des yeux brillants.

– Ha ! Ils ont une fourche en bois autour du cou. C'est de là que nous vient le mot...

– *Furcifer* ! s'écria Flavia. « Crapule » en latin. Ça désigne quelqu'un qui est affublé d'une fourche !

Sisyphe hocha la tête.

– Les fourches les obligent à garder la tête en l'air, pour que les gens puissent les reconnaître.

Et les bombarder, écrivit Lupus. Dans la foule, certains ne se contentaient pas de huer les indicateurs : ils leur jetaient des œufs et des laitues pourries.

Sisyphe tendit un cornet de papyrus plein de dattes. Lupus en prit une poignée et les jeta vers les mouchards. Son tir fut trop court : elles atterrirent sur des sénateurs du premier étage.

Lupus s'accroupit vivement sous le muret en bois et regarda ses amis d'un air gêné, comme pour dire : « Mince ! »

Sisyphe lui jeta un regard mécontent.

– Elles sont pour nous, pas pour les mouchards ! protesta-t-il, et il tendit le cône de papyrus à Flavia.

Elle se servit, mais Nubia secoua la tête sans détourner les yeux de la scène qui se déroulait en bas. Soudain, Flavia se rappela la première fois qu'elle avait vu Nubia, alors qu'on la traînait au marché aux esclaves, nue et enchaînée par le cou.

– Quel genre de délits rapportent les indicateurs ? demanda vivement Flavia à Sisyphe, espérant distraire Nubia.

– Oh, des complots réels ou imaginaires contre l'empereur, des critiques contre sa façon de gouverner... tout et n'importe quoi.

Sisyphe fourra une datte dans sa bouche.

– Du temps de Néron, ils se sont multipliés comme des vers dans la viande pourrie. Je trouve ça bien de la part de Titus de les montrer sous leur vrai jour.

– Qu'est-ce qu'on va leur faire, après ? questionna Flavia. On va les tuer ?

– Non, dit Sisyphe. Ceux qui viennent de la plèbe seront peut-être vendus comme esclaves aux enchères, et les sénateurs seront envoyés dans une île sauvage.

– Ah, dit Flavia en hochant la tête d'un air entendu et en sortant un noyau de datte de sa bouche. L'exil.

– Qu'est-ce que c'est, l'exil ? demanda Nubia.

– C'est quand on t'envoie loin de chez toi, sans espoir de jamais revenir, lui expliqua Flavia.

En voyant l'expression de Nubia, elle se mordit la lèvre.

Sisyphe agita le programme et dit :

– Le spectacle suivant, c'est une exécution. Cet homme a tué son père.

Nubia vit deux gardes faire avancer un homme, du bout de leurs lances, autour de l'arène. Un esclave les suivait avec un panneau fixé sur un bâton. Même d'ici, Nubia distinguait les boucles blondes et les lèvres rouges du criminel. Hormis un pagne minuscule, il était nu. Des jurons et des huées éclatèrent dans la foule et, depuis les étages inférieurs, certains lui jetèrent leurs derniers fruits pourris.

Flavia se pencha pour examiner, en plissant les yeux, le panneau que transportait l'esclave.

– *J'ai plongé une épée dans la gorge de mon père*, lut-elle.

– Assassin! cria sauvagement une voix de femme dans le dos de Nubia.

La jeune fille se retourna pour observer les gens assis dans la rangée de derrière. Cette jeune matrone était jolie, mais la haine déformait son visage et le rendait laid. Puis, sous les yeux de Nubia, la haine fit place à la surprise et à la joie.

Nubia se retourna et poussa un hoquet de stupeur.

Un homme ailé volait droit vers elle.

Nubia grimaça devant l'homme qui fondait sur elle. Tout comme les autres, sur les sièges voisins. Sauf Lupus, qui éclata de rire.

Alors, Nubia comprit que cet homme avait juste des ailes couvertes de plumes fixées à ses bras.

Sa tunique aussi était tapissée de plumes, et il portait un collant jaune pour que ses jambes ressemblent à des pattes d'aigle. Il avait la peau chocolat, comme elle, et les plumes étaient assorties. Il battit des ailes d'une façon comique, mais, au-dessus du faux bec, ses yeux révélaient une profonde concentration. L'homme-oiseau passa devant elle, si près qu'elle sentit un courant d'air sur son visage, puis descendit en spirale vers l'arène. Dans les gradins, les gens se penchèrent en arrière et poussèrent des cris ravis.

Nubia vit des milliers de visages se tourner vers le haut, éblouis, au milieu des rires, des exclamations, des doigts pointés. Lupus et bien d'autres essayaient de distinguer ce qui maintenait l'homme-oiseau en l'air. Il partit dans l'autre sens, en se dirigeant cette fois vers les spectateurs du premier étage, et Nubia aperçut les fines cordes qui le portaient.

Elle suivit la ligne des cordes jusqu'en haut et découvrit des silhouettes sombres devant le ciel bleu. Tout en haut de l'amphithéâtre, des hommes évoluaient sur les cordages qui maintenaient en place les pans de tissu coloré. Ils manipulaient un système complexe de cordes et de poulies.

En bas, sur le sable de l'arène, le criminel condamné paraissait aussi petit qu'une souris du désert. Il avait entendu la foule hoqueter de stupeur et regardait autour de lui, terrorisé, cherchant la bête qui devait le dévorer. Il n'avait pas encore eu l'idée de regarder en l'air.

Nubia entendit les femmes autour d'elle se moquer de lui.

– Tu es fichu, maintenant, Ganymède !

– Voilà Jupiter !

– Au revoir, parricide !

Flavia, les yeux brillants, se tourna vers Nubia.

– Ça vient d'un mythe. Jupiter s'est épris d'un beau jeune homme qui s'appelait Ganymède, alors il a pris l'apparence d'un aigle pour le kidnapper. Il l'a emporté sur le mont Olympe et Ganymède a dû servir le vin aux dieux et aux déesses… d'après la légende.

Quand « Ganymède », remarquant enfin l'homme-oiseau qui fondait sur lui, se mit à courir, l'orgue aquatique abandonna les accords inquiétants et entonna une mélodie comique. Tout autour de Nubia, les gens riaient – même Flavia, Lupus et les jumeaux.

– Attention, Ganymède ! hurla une femme dans la rangée derrière eux. Tu plais à Jupiter !

– Tu ferais mieux de filer ! cria un garçon quelque part sur leur gauche.

La petite Rhoda riait aussi.

– Le gros oiseau chasse l'homme !

Des milliers de personnes poussèrent un « Oh ! » collectif quand l'homme-oiseau faillit attraper sa proie.

Ganymède avait réussi à lui échapper, cette fois, mais Nubia savait qu'il ne pourrait pas résister éternellement. Peu après, il trébucha et tomba ; l'oiseau saisit le criminel par la taille, puis tous deux s'élevèrent rapidement dans les airs, sans tourner en spirale : ils montaient tout droit.

Le criminel, presque nu, se débattait dans les bras de son ravisseur ; quelque chose se détacha et tomba sur le sable, en dessous d'eux. Ses boucles blondes.

– Hé, Ganymède ! cria la femme derrière eux. T'as perdu ta perruque !

Terrifié, l'homme avait cessé de gigoter. Nubia vit Lupus hocher la tête, la mine sombre, et échanger un regard entendu avec Sisyphe. Elle devina ce qu'ils pensaient : si le criminel tombait des bras de l'homme-oiseau, de cette hauteur, la chute serait fatale.

L'orgue aquatique joua une série d'accords dramatiques qui montèrent dans les aigus à mesure que les deux hommes s'élevaient au-dessus de ce vaste espace. Ils arrivèrent au niveau de Nubia. Lupus redressa la tête pour voir ceux qui maniaient les cordes, mais Nubia n'arrivait pas à détacher les yeux du visage terrorisé de Ganymède.

Quand l'homme-oiseau et sa proie, devenus des silhouettes lointaines qui se découpaient sur le ciel bleu, ne purent monter plus haut, les trompettes se mirent à claironner. Ce devait être le signal pour l'homme-oiseau : il lâcha Ganymède.

Avec un hurlement guttural, le criminel tomba, en agitant frénétiquement les bras et les jambes, comme si le vide autour de lui pouvait soudain se solidifier. Pendant sa chute, Nubia eut l'impression que son estomac dégringolait aussi. Ganymède tombait plus bas, toujours plus bas. Un grand cri de joie éclata parmi la foule quand il s'écrasa dans l'arène, tout en bas, en projetant un nuage de sable qui retomba sur le corps disloqué.

Soudain, Nubia poussa un cri : le corps avait tressauté.

Le criminel était encore vivant.

Nubia vit une silhouette en robe noire, avec un masque blanc, entrer dans l'arène et se diriger vers l'homme qui venait de tomber.

– Je crois que c'est censé être Pluton, dit Sisyphe.

– Pluton est le dieu qui gouverne le monde souterrain, expliqua Flavia à Nubia.

– Et il s'apprête à envoyer le pauvre Ganymède dans son royaume, ajouta Sisyphe.

L'homme masqué souleva quelque chose qui ressemblait à un maillet et, pendant un instant, il parut hésiter. Puis, d'un coup rapide, il mit fin à la vie de l'homme disloqué.

Nubia baissa la tête entre ses genoux et inspira profondément, par petits coups étranglés.

Lupus lui tapota le dos. Flavia se pencha vers elle et chuchota :

– Ça va, Nubia ? C'est plus facile si tu imagines que ce sont des mannequins et pas des vrais gens.

– Maman, intervint la voix de Rhoda, pourquoi il est tombé, le monsieur ?

– C'était un méchant monsieur, répondit Cynthia. Il a tué son papa.

– Il a tué Papa ?

– Pas ton papa à toi. Son papa à lui.

– Pourquoi ?

– Je ne sais pas, chérie.

– Maman, je peux aller aux latrines ?

Cynthia soupira.

– Oui, chérie. Sisyphe, as-tu remarqué où sont situées les latrines ?

– Je crois qu'elles sont deux étages plus bas, dame Cynthia. Voulez-vous que je vous accompagne ?

– Non, merci. On va pouvoir se débrouiller.

Cynthia adressa un signe de tête à sa jeune esclave.

– Viens, Prisca.

La nausée de Nubia s'estompait. Elle leva la tête et se tourna sur son siège pour les laisser passer. Les jumeaux y allaient aussi ; ils avaient laissé leurs casques en métal sur leur coussin, sur le banc en bois. Midi approchait, et il faisait agréablement chaud.

Sisyphe tendit une gourde remplie d'eau à Nubia. Elle la prit, but quelques gorgées puis la passa à Flavia.

Soudain, dans cette scène, quelque chose lui parut très familier.

Les bavardages excités des gens autour d'elle, le grand espace ouvert devant eux, la lumière crue qui venait d'en haut, Flavia en train de boire à la gourde, Lupus en train de bâiller...

– Qu'y a-t-il, Nubia ? lui demanda Flavia en passant la gourde à Lupus.

Nubia secoua la tête, puis répondit :

– J'ai vu cet instant en rêve, très exactement.

– Oh, ça m'arrive aussi, parfois, dit Flavia. Tu as une impression de déjà-vu ?

Lupus hocha la tête aussi.

– Oui, dit Nubia. J'ai déjà vu ça.

– Tu sais ce que ça veut dire, non ? demanda Sisyphe en haussant les sourcils.

– Non.

– Ça veut dire que tu es précisément là où les dieux veulent que tu sois.

– Les dieux veulent que je sois ici ?

– Oui. Parfois, ils t'envoient des rêves que tu oublies jusqu'au moment où tu te retrouves à l'endroit dont tu as rêvé. D'après ma vieille grand-mère, que Junon protège son âme, ça veut dire que tu es sur le bon chemin dans ta vie : exactement au bon endroit.

– C'est le bon endroit, ici ?

Nubia observa la foule autour d'elle, puis l'arène ovale, au loin, où des esclaves ratissaient du sable propre sur les taches sombres.

– Qu'est-ce qu'on a, ensuite ? marmonna Flavia en prenant le papyrus sur le siège de sa tante.

– Oh ! Ce n'est pas le programme d'aujourd'hui, ça ! Ce sont les meilleurs moments des jours à venir... Regarde, Nubia ! Demain, ils vont tuer cinq mille bêtes. Et ça dit... oh, non !

– Quoi ? demanda Nubia.

– Lupus, reprit Flavia, quand tu as vu les prisonniers condamnés à mort... est-ce que Ganymède était avec eux ?

Lupus la regarda sans comprendre.

– L'homme qui a tué son père, celui qu'ils viennent d'exécuter... est-ce qu'il était avec les autres prisonniers ?

Lupus secoua lentement la tête et écrivit sur sa tablette de cire :

C'étaient tous des Juifs.

– Ça veut dire qu'il y a d'autres prisonniers ailleurs.

Lupus fronça les sourcils.

Flavia indiqua le programme.

– Cette feuille présente les numéros les plus sensationnels des prochains jours, dit-elle. Regarde qui ils vont exécuter après-demain !

EXÉCUTION DE CRIMINELS

I^{RE} JOURNÉE
un parricide mourra en rejouant l'enlèvement de Ganymède

un voleur mourra en rejouant la mort de Lauréolus

*des zélotes juifs combattront des ours
avec leurs poignards incurvés*

ÉVÉNEMENT DU SOIR :
un traître mourra comme Léandre*

IIE JOURNÉE
un assassin mourra en rejouant l'histoire d'Orphée

IIIE JOURNÉE
un pyromane subira le supplice de Prométhée

IVE JOURNÉE
Dédale* sera enfermé dans son labyrinthe avec un ours

V^E JOURNÉE
une meurtrière rejouera la honte de Pasiphaë*

VI^E JOURNÉE
un pilleur de temple mourra comme Hercule

VIIE JOURNÉE
un esclave fugueur rejouera la mort d'Actéon*

Lupus indiqua le programme de la troisième journée et haussa les sourcils.

– C'est ça, dit Flavia, l'air sombre. Si Jonathan est en vie et soupçonné d'avoir allumé l'incendie, il doit être ici, quelque part. Tu ne l'as juste pas trouvé. Et après-demain, ils vont le tuer en le torturant comme Prométhée.

Nubia eut de nouveau envie de vomir.

– Hélas ! murmura-t-elle. Prométhée se faisait dévorer le foie par un oiseau !

– Maman, pourquoi on attache cet homme à des bouts de bois ? demanda la petite voix enjouée de Rhoda, au-dessus des accords graves de l'orgue aquatique.

– C'est encore un méchant, chérie, répondit la tante de Flavia. Il a dévalisé des gens. On va le crucifier. Ou peut-être qu'une bête féroce va le dévorer. On verra bien.

– Lauréolus... dit Flavia en fronçant les sourcils, les yeux sur le programme. Je croyais connaître tous les mythes, mais je ne me souviens pas d'un personnage de la mythologie qui s'appelle Lauréolus.

– C'est parce qu'il a réellement existé. J'ai vu une pièce à son sujet, un jour...

Sisyphe se pencha vers elle pour étudier la feuille qu'elle avait à la main.

– Comment est-il mort ? demanda-t-elle.

– Ses victimes l'ont attaché à une croix et ont laissé un sanglier le mettre en pièces.

– Oh ! souffla Flavia, avant de se tourner vers Nubia. Je crois que nous n'avons pas envie de regarder ça.

– Il ne hurle plus, dit Flavia au bout d'un moment. Je peux rouvrir les yeux maintenant ?

– Ce n'est pas à moi qu'il faut demander, répondit Sisyphe d'une voix étouffée. J'ai arrêté de regarder quand il s'est fait arracher la jambe.

– Le sang, murmura Nubia. Tu as vu tout ce sang !

– Ne regarde pas, répliqua Flavia, et elle tourna la tête pour voir ce que Lupus écrivait sur sa tablette de cire.

Il est encore vivant.

– Mais ça fait bientôt une demi-heure ! protesta Flavia. Du moins j'en ai l'impression.

– Je crois que je vais vomir, murmura Nubia.

– Moi aussi, dit Flavia. Allons chercher les latrines.

Lupus se redressa sur le banc quand un coup de trompette et un héraut annoncèrent le dernier événement avant les combats de gladiateurs. L'exécution de cent zélotes juifs. C'était justice, proclama le héraut, que le sang de ces hommes coule, car ils faisaient partie des Juifs rebelles qui avaient causé tant de problèmes à Rome, dix ans plus tôt.

Tandis que l'orgue aquatique martelait une série de notes sinistres, discordantes, Lupus regarda les hommes arriver en trébuchant dans l'arène, en se protégeant les yeux contre les rayons aveuglants du soleil printanier. La foule rugit de colère, étouffant la musique.

C'étaient les prisonniers qu'il avait vus la veille ; il reconnut le rabbin. Presque aussitôt, les ours s'avancèrent dans l'arène. Contrairement aux animaux qui étaient passés avant, il n'y avait pas besoin d'encourager ces bêtes terrifiantes avec des fers chauffés au rouge. On avait dû leur apprendre à aimer la chair humaine.

Avec une rapidité étourdissante, un ours saisit un zélote dans une étreinte mortelle. Alors, certains Juifs se mirent à hurler et à s'enfuir en courant. D'autres, comme le rabbin, restèrent immobiles et attendirent la mort. Quelques-uns se défendirent courageusement avec leurs petits couteaux incurvés. Lupus vit que Sisyphe et Hyacinthe s'étaient caché la figure dans les mains. Les jumeaux s'étaient lassés des exécutions lointaines et jouaient avec leurs figurines de gladiateurs sur le coussin de Nubia. La petite Rhoda dormait profondément, le pouce dans la bouche, sur les genoux de sa mère. Mais dame Cynthia ne remarquait rien. Les lèvres entrouvertes, elle gardait ses yeux gris clair fixés sur la scène de carnage sanglant en contrebas.

Lupus voyait bien qu'elle buvait le spectacle des yeux, sans en rater une goutte.

– Tu te sens mieux ? demanda Flavia.

Nubia acquiesça et releva la tête de la fontaine. Ses genoux tremblaient toujours, mais son estomac semblait apaisé. L'eau, rosie par du vin, lui avait calmé l'estomac et rafraîchi la bouche.

Pour la première fois, elle remarqua une statue de marbre dans une niche derrière les jets d'eau : un homme avec une lyre. Son nom était gravé dans le socle de la sculpture. Orphée était si habilement sculpté et peint qu'il semblait vivant. Quelqu'un lui avait noué un foulard blanc sur les yeux. Nubia regarda autour d'elle. Toutes les autres statues qu'elle voyait avaient également les yeux bandés.

Elle les montra du doigt.

– Pourquoi ?

– Pourquoi on leur a bandé les yeux ? dit Flavia en s'essuyant la bouche. Pour que les dieux et les héros ne soient pas choqués par la vue de ces affreux criminels. Et de tout ce sang.

Nubia regarda son ancienne maîtresse avec stupeur. Ces gens laissaient de jeunes enfants regarder un homme se faire lentement éviscérer, mais ils couvraient les yeux de leurs statues.

Elle ne comprendrait jamais les Romains. Jamais.

– Aaaaaaah !

En entendant le cri étranglé de Flavia, Nubia se retourna d'un bond : des centaines de balles rouges tombaient du ciel.

Nubia leva les mains pour se protéger contre le déluge de balles. Elle en sentit une lui heurter la main droite, et referma automatiquement les doigts dessus.

Autour d'elle, les gens criaient et gesticulaient. Quelques rangs plus bas, elle vit trois hommes se battre pour attraper quelque chose. Nubia ouvrit lentement la main et étudia l'objet qui gisait dans sa paume. C'était une balle en bois rouge, de la taille d'une petite pomme.

– C'est une balle de loterie ! s'écria Flavia.

Elle se plaqua une main sur la bouche, puis ajouta :

– Vite ! Cache-la avant que quelqu'un la voie et t'assassine !

Nubia la considéra avec de grands yeux.

– Cache-la tout de suite !

Docile, Nubia défit les cordons de sa bourse en cuir et poussa la balle dedans, puis serra sa cape en peau de lion autour d'elle.

– Viens ! siffla Flavia. Regagnons nos places. Ne dis à personne que tu en as une.

– Pourquoi ?

Nubia sentit la main de Flavia appuyer vivement sur ses reins, pour qu'elle se hâte de remonter l'escalier.

– Ça vaut peut-être une fortune, chuchota Flavia.

– Comment ça ?

– Sisyphe m'en a parlé tout à l'heure. Les balles sont creuses. À l'intérieur, il doit y avoir un petit bout de papyrus qui te dit ce que tu as gagné.

– J'ai gagné quelque chose ?

– Oui ! Parfois, c'est juste une blague. Le papyrus dit que tu as gagné un panier de pois chiches. Ou un cure-dent en ivoire. Mais la plupart du temps, ce sont des prix fabuleux. Comme un cheval, un esclave, un bateau, ou même toute une villa !

– Oh ! souffla Nubia. Je me demande ce que ma balle me réserve.

– Nous ferions mieux d'attendre, insista Flavia, légèrement essoufflée, alors qu'elles arrivaient sur le palier de l'escalier en marbre. Il y a trop de monde, ici. Tu as vu ces hommes qui se battaient pour une balle, non ? Mieux vaut ne pas la sortir avant qu'on soit rentrés à la maison. Tu pourras supporter d'attendre jusqu'à ce soir ?

Mais Nubia n'eut pas besoin de patienter si long-temps.

À midi, ils retrouvèrent le sénateur Cornix à l'endroit convenu. D'un seul coup d'œil à sa femme, il remarqua ses yeux fébriles et ses joues rouges, et annonça d'un ton bougon qu'ils rentraient immédiatement.

– Mais Pater ! s'écria Aulus. Les gladiateurs ! On va rater les gladiateurs ! Et il y a même des femmes qui participent aux combats, cet après-midi.

– Raison de plus pour rentrer, répliqua le sénateur, les dents serrées. Et nous n'attendrons pas demain pour quitter Rome. Nous partons aujourd'hui même !

– Je n'arrive pas à l'ouvrir, dit Nubia. Elle reste collée. Tiens, Lupus. Essaye, toi.

Elle lui tendit la balle rouge. Lupus, tête baissée, essaya d'en dévisser les deux moitiés.

Ils étaient tous les trois dans la chambre des filles chez le sénateur Cornix, sur le mont Caelius. Ils avaient déjeuné et maintenant, les bruits d'une famille en pleins préparatifs de départ s'infiltraient par la porte ouverte.

– Qu'est-ce que vous faites ? demanda Aulus, en surgissant brusquement au-dessus de l'épaule de Nubia.

– Rien, dit Flavia.

Lupus dissimula vivement la balle sous sa cape.

– Tu caches quelque chose. Montre-moi !

Lentement, Lupus sortit sa tablette de cire et l'ouvrit.

– Tu vois, Aulus ?

Flavia se força à lui sourire.

– On traçait juste un plan de l'amphithéâtre, pour essayer de se rappeler l'endroit où on était assis aujourd'hui.

– Eh bien, Lupus ne l'a pas dessiné correctement. Ça ne ressemble pas à ça. Il est super nul, ce plan. L'amphithéâtre n'est pas ovale. Il est rond.

– Non, il n'est pas rond, objecta Flavia en fronçant les sourcils. Il est ovale.

– Il est rond.

– Ovale !

– Rond !

– Aulus ! tonna la voix du sénateur. Tu as fini ce que je t'avais demandé ?

– J'arrive, Pater !

Aulus Junior fusilla Flavia du regard.

– Gros nez ! marmonna-t-il en sortant de la pièce à grandes enjambées.

Quand il fut parti, Flavia poussa un soupir de soulagement.

– La balle, chuchota-t-elle. Tu arrives à l'ouvrir, Lupus ?

Lupus hocha la tête et grogna jusqu'à ce qu'un « crac ! » et un grincement se fassent enfin entendre. Il tendit à Nubia la balle en bois, désormais divisée en deux morceaux. À l'intérieur, il y avait un carré de parchemin translucide, couvert d'une fine couche de poussière de craie. Un mot était inscrit dessus à l'encre noire et or. Nubia sortit le parchemin, le lut et, sous le choc, inspira brutalement. Elle le montra aux autres.

Flavia le déchiffra à son tour et écarquilla les yeux.

– *Gladiateur*. Nubia, tu as gagné un gladiateur !

J e suis contente que mon oncle t'ait demandé
– de rester avec nous, dit Flavia à Sisyphe alors
qu'ils se mettaient en route pour leur deuxième
journée de spectacles à l'amphithéâtre. D'autant que
Caudex n'est toujours pas revenu.

C'était tôt le matin ; il faisait encore sombre et
l'air était glacial.

– J'ai promis de m'occuper de vous, répondit
Sisyphe en resserrant sa cape rose foncé sur ses
épaules. Je ne vois vraiment pas où votre garde du
corps a pu disparaître.

– Il va revenir, assura Flavia. Caudex n'est pas
très malin, mais il est très loyal.

– Au fait ! reprit Sisyphe. En tant que tuteur
officieux, je dois vous demander pourquoi vous por-
tez une couverture sale en guise de cape, Lupus et
toi ! Et ta tunique n'est-elle pas un peu trop courte ?

Flavia le regarda.

– On a décidé tout ça hier soir : Lupus va encore
se faire passer pour un esclave et tenter de repérer
d'autres cellules de prisonniers. Nubia va rester avec

les dresseurs d'animaux ; elle a un laissez-passer. Elle voulait emmener Tigris, mais, s'il aboie encore, il va nous trahir.

– Et toi ? demanda Sisyphe. Quels sont tes plans ?

Flavia lui jeta un coup d'œil.

– J'ai l'intention de me rapprocher de Fabius, le magister ludi. Je suis sûre qu'il sait qui sera exécuté et quand.

– Alors vous me laissez tout seul !

Sisyphe lui jeta un regard blessé.

– Mais tu peux nous aider, répliqua Flavia. Tu connais beaucoup de monde, à Rome : d'autres sénateurs et des gens comme ça. Fais croire que tu cherches un ami. Promène-toi dans les rangées de gradins. Tâche de voir si quelqu'un sait quelque chose au sujet des prisonniers. Rendez-vous à midi près de la fontaine d'Orphée, pour le compte rendu de ce que nous aurons appris.

– Très bien, dit Sisyphe.

Il plissa les yeux.

– Vous ne ferez rien de dangereux, n'est-ce pas ? Le sénateur serait furieux contre moi s'il vous arrivait quelque chose.

– Non, lui assura Flavia, même si elle avait le cœur battant. Je te promets que ce ne sera pas dangereux du tout.

PROGRAMME DES JEUX

IIᴱ JOURNÉE D'INAUGURATION
DU NOUVEL AMPHITHÉÂTRE

ACROBATES ÉGYPTIENS

EXÉCUTION D'UN CRIMINEL
où un pilleur de temple mourra
en rejouant l'histoire d'Orphée

COMBAT D'ANIMAUX
entre des Pygmées, des crocodiles et des hippopotames

DUELS DE GLADIATEURS FANTAISISTES
avec des garçons et des filles

COMBATS DE GLADIATEURS

VENTE D'OMBRELLES ET DE BOISSONS

DISTRIBUTION DE PRIX

Accroupie sous un grand pin parasol, Flavia s'étala de la poussière sur la figure et s'en frotta dans les cheveux. Elle racla la terre avec ses ongles, au pied de l'arbre. Elle savait qu'en l'examinant de près, on verrait qu'elle avait des mains douces et manucurées et qu'elle n'avait jamais passé une seule nuit dans la rue. Mais ses ongles maculés de terre donneraient l'impression qu'elle était sale. Elle était prête à parier que Fabius n'aurait pas le temps de faire passer un entretien approfondi à toutes les filles pour le numéro d'Orphée.

Elle avait raison.

– C'est Blastus qui t'a envoyée ? demanda-t-il quand elle l'aborda enfin.

Il était entouré d'esclaves et prenait des notes sur une tablette de cire à quatre pans.

– Euh… oui.

– Tu es orpheline ?

Il leva les yeux de sa tablette pour l'examiner.

– Oui, mentit Flavia, et elle essaya de faire trembler sa lèvre inférieure. Mes parents sont morts quand j'avais…

– Pavo ! aboya Fabius en se concentrant de nouveau sur ses notes. Emmène tout de suite cette fille voir Mater.

Il se tourna vers un scribe :

– Bon, qu'est-ce que tu disais à propos des acrobates égyptiens ?

Nubia s'avança dans la puissante odeur d'animaux, de foin et de crottin. C'était peu après l'aube ; la pièce était encore obscure.

– Nubia ! Viens voir ça !

Bar était penché au-dessus d'un enclos en bois. Il avait une longue perche à la main.

– Bonjour, Bar.

Elle le rejoignit sur un petit rebord surélevé qui faisait le tour de l'enclos, et hoqueta de stupeur quand elle vit ce qu'il regardait. Ce n'était pas un enclos, mais un bassin doublé de plomb et rempli d'eau. Et de crocodiles.

Instinctivement, elle recula à la vue de leurs têtes affreuses, mais Bar sourit et dit :

– On ne risque rien, ici. Ces horribles monstres ne peuvent pas sortir du bassin.

Il en toucha un du bout de sa perche.

– Le criminel leur a échappé à la nage, hier soir, alors ils ont encore plus faim, aujourd'hui.

– Je pense que tu ne devrais pas les piquer avec ta perche, dit Nubia. Tu vas les mettre en colère.

Il lui sourit ; ses dents blanches brillaient au milieu de son visage brun et lisse.

– C'est bien mon intention.

Il sauta du rebord du bassin.

– Suis-moi. J'ai quelque chose d'autre à te montrer.

Nubia quitta la pièce à sa suite et traversa plusieurs autres cellules obscures, qui abritaient cha-

144

cune différents animaux en cage. Ils passèrent devant des lions, des léopards, des autruches et même une girafe. Dans une pièce avec un faon et plusieurs clapiers à lapins, Nubia faillit trébucher sur un seau en bois rempli d'un liquide noir.

— Attention ! s'esclaffa Bar, en rapprochant le seau des clapiers. Si tu éclabousses ta peau de lion avec du brou de noix, il te faudra des heures pour la nettoyer.

— Pourquoi vous avez du brou de noix ?

— Pour teindre la fourrure des lapins. Sinon les gens des étages les plus élevés ne les voient pas sur le sable clair.

Peu après, ils atteignirent une autre grande pièce avec un long bassin du même genre que le premier. Bar aida Nubia à monter sur le rebord pour qu'elle puisse voir à l'intérieur.

Dans celui-là, il y avait une dizaine d'hippopotames. Des gros. Leur dos, leurs yeux et leur museau formaient des îlots d'un gris rutilant à la surface de l'eau.

Nubia regarda Bar-Mnason avec horreur.

— Mon père m'a raconté que l'hippopotame était le plus dangereux de tous les animaux ! souffla-t-elle.

— Ton père a raison. La plupart des animaux qui sont ici ont dû être *dressés* pour se battre entre eux ou pour attaquer les gens. Mais pas les hippopotames.

Mets un hippopotame dans l'eau avec quelqu'un et cette personne est morte.

Lupus traînait derrière une famille avec une demi-douzaine d'enfants. Quand ils franchirent une des entrées voûtées de l'amphithéâtre, il se faufila avec eux. Le vrai défi, ce serait de descendre dans les étages inférieurs.

En fait, il y parvint sans peine. Personne ne voulait se rendre au sous-sol. Ils se précipitaient tous vers leurs sièges.

Lupus se glissa par une porte en souriant et descendit quelques marches faiblement éclairées. C'était presque trop facile.

— Toi ! rugit une voix d'homme et, au même instant, Lupus fut soulevé brusquement par une main qui empoignait le col de sa tunique. Tu n'y couperas pas, cette fois !

ROULEAU XVIII

Flavia lissa la tunique bleu pâle sur ses cuisses. Elle était très courte et faite d'une soie raffinée, fine comme de la gaze. Sombre, la pièce était équipée d'un vaste miroir en argent sur un mur. La jeune fille se planta devant pour inspecter son reflet. Elle n'avait jamais vu de miroir aussi grand. Pour la première fois de sa vie, elle se voyait de la tête aux pieds, et très nettement. La dame qu'on appelait « Mater » l'avait envoyée se laver rapidement dans une bassine d'eau chaude et trois jeunes esclaves avaient pomponné Flavia pendant une demi-heure.

On lui avait brossé et relevé les cheveux, avant de lui poser une couronne de fleurs roses sur la tête : pivoines, crocus et chèvrefeuille. Ses yeux étaient soulignés de khôl, sa bouche et ses lèvres rougies par une pâte au goût amer. Du stibium[1] bleu pâle brillait sur ses paupières. La couleur était parfaitement assortie à sa nouvelle tunique et complétait

---

1. Poudre que les femmes de l'époque romaine utilisaient pour se farder les paupières.

admirablement la guirlande rose. Flavia faisait bien plus que ses dix ans. Elle paraissait en avoir au moins treize.

Elle étudia dans la glace son apparence inhabituelle, avec un sourire hésitant. Avait-elle les genoux cagneux ? Avait-elle un gros nez ? Elle tourna la tête pour tenter d'examiner son profil, et soupira. En effet, son nez semblait avoir pas mal grossi ces derniers mois.

Elle se remit de face devant le miroir et fronça les sourcils. Elle était censée jouer une nymphe des rivières. Quel rapport avaient les nymphes des rivières avec la légende d'Orphée ? Elle se creusa la tête, et elle avait presque trouvé la réponse quand on la tira brutalement sur le côté.

– Bon, tu ne vas pas passer toute la journée devant la glace !

Flavia se retourna : c'était Marcia, la gamine des rues aux dents pointues. Contrairement à Flavia, Marcia portait une tunique rose très pâle. Son ombre à paupières était assortie à sa couronne de fleurs : des crocus mauves et des violettes entrelacés avec du chèvrefeuille.

Pendant que la petite blonde se rengorgeait devant le miroir, Flavia soupira. Marcia n'avait pas de gros genoux, elle. Elle avait un joli nez mutin, juste comme il faut. Propre et maquillée, la vagabonde était magnifique.

148

Quatre autres filles entrèrent en papotant dans la pièce; des jeunes esclaves s'agitaient autour d'elles, nouant des rubans, lissant des sourcils, rafraîchissant leur rouge à lèvres. Mater débarqua à leur suite. C'était une femme robuste avec des traits grossiers et le visage lourdement poudré. Elle frappa dans ses mains.

– C'est l'heure du spectacle, mes beautés !

– Quoi ? s'écria Flavia. Déjà ? Et les combats d'animaux ? Oh là là, je n'ai pas trouvé où on enferme les criminels condamnés...

– Chut ! siffla farouchement Marcia à l'oreille de Flavia. On n'a pas le droit de prononcer les mots « criminel » ou « exécution » : tu vas nous faire perdre tout notre or !

– Hein ? dit Flavia. De quoi tu parles ?

– Mater nous a prévenues hier. C'est une des règles. Si Orphée joue bien, aujourd'hui, il sera pardonné. Alors ne répète pas les mots que tu viens de prononcer, ou tu vas le rendre nerveux. Regarde ! Le voilà !

L'homme déguisé en Orphée passa suffisamment près de Flavia pour qu'elle voie le contraste surprenant entre son visage ridé et ses cheveux teints en noir.

Flavia baissa la voix.

– Mais je veux juste savoir où ils enferment les gens qu'ils vont... les prisonniers.

Marcia secoua la tête, leva les yeux au ciel et se détourna.

– Oh, mes chéries ! s'exclama Mater en claquant ses grosses mains sur sa volumineuse poitrine. Mes chéries, vous êtes superbes. Tout simplement superbes. Si jeunes et si tendres. De parfaites petites nymphes des rivières…

Elle se tamponna un œil.

– Bien ! dit-elle brusquement. Hop, montez dans le bateau. Vous devez conduire Orphée à la rame jusqu'à l'île pendant qu'il joue sa belle musique. Vous avez toutes répété hier soir… enfin, toutes sauf toi…

Elle se tourna vers Flavia.

– Je suppose que tu peux les imiter ? Tu sais comment on tient une rame, j'espère ?

– Bien sûr, dit Flavia. Mon père est… euh, je veux dire, avant le tragique accident qui m'a laissée orpheline, mon père était capitaine de navire.

– Comme c'est charmant, ma chérie. Maintenant, montez l'escalier et grimpez dans le bateau. N'oubliez pas : tuniques bleues à gauche et roses à droite.

– On pourra garder nos tenues, après ? demanda une fille d'une douzaine d'années.

– Bien sûr, dit Mater. Et votre sac d'or sera ici quand vous reviendrez.

L'esclave chauve qui s'appelait Blastus les conduisit en haut des marches et, en suivant les filles, Flavia les entendit discuter de ce qu'elles feraient de leur argent. Ils débarquèrent tous dans une pièce aux murs de marbre, percée par une ouverture lumineuse droit devant. Le sol était recouvert d'une épaisse couche de sciure, où Flavia remarqua une flaque d'un liquide brun-rouge.

En observant cette tache inquiétante, elle ralentit le pas.

– Ne t'inquiète pas, ma chérie, dit Mater, qui les avait suivies à l'étage et qui avait de nouveau les yeux secs et un comportement très professionnel.

Elle la poussa fermement.

– Un des esclaves a dû avoir un petit accident tout à l'heure.

– Mais ça ressemble à…

– Allez, on embarque, mes chéries ! Orphée vous attend.

Mater bouscula Flavia et Blastus lui prit le bras, la porta dans l'immense arène lumineuse et la reposa dans un joli bateau doré, orné de guirlandes de pivoines, de violettes et de safran.

– Assieds-toi là, à l'arrière, dit-il.

Il indiqua un coussin bleu pâle sur un siège en bois dans le bateau. Flavia était la dernière fille à monter. Un instant plus tard, le bateau vacilla quand l'esclave chauve en ressortit et rentra sous l'arche. Il les poussa vivement avec une perche.

Tandis que le bateau s'avançait sans heurt, en glissant sur l'eau, Flavia saisit sa rame rose, regarda par-dessus son épaule et s'étrangla. L'arène sablonneuse avait été transformée en lac lumineux comme un miroir, avec une jolie île verte au milieu.

– Quand ont-ils fait ça ? murmura-t-elle.

– Hier soir, répondit Marcia, derrière elle.

Orphée ouvrit la bouche pour la première fois.

– Taisez-vous et ramez ! Le frère de l'empereur m'a promis une grâce totale si notre numéro est réussi.

Il portait une tunique blanche immaculée et des sandales dorées.

– Et chantez !

Il pinça les cordes de sa lyre dorée.

Mais Flavia et les autres filles regardaient autour d'elles, les yeux écarquillés. Même si elles avaient été capables d'émettre un son, on ne les aurait pas entendues. Car à l'arrivée du bateau, un rugissement assourdissant remplit le vaste amphithéâtre.

Cinquante mille Romains acclamaient les jolies petites blondes dans le bateau doré.

Flavia déglutit. Cinquante mille Romains l'acclamaient !

– Toi ! tonna le grand costaud, et Lupus se détendit en reconnaissant le visage repoussant de Verucus penché sur lui.

Le jeune garçon lui adressa un sourire penaud. Verucus lui donna une tape sur la tête.

– Ne me souris pas comme ça ! Où étais-tu hier ? Tu regardais les jeux, je parie ! Eh bien, aujourd'hui, tu vas le payer. Tu videras les seaux des latrines !

Lupus soupira et suivit le grand esclave à pas lourds. Peu après, il reprit espoir : ils se dirigeaient vers une partie de l'amphithéâtre qu'il n'avait pas encore explorée. Il y avait donc d'autres prisonniers par ici. Jonathan était peut-être parmi eux.

– Regarde-moi ça ! grogna Verucus en indiquant le sol trempé. Ils ont inondé l'arène, hier soir. L'installation est censée être hermétique, mais elle ne l'est pas. La moitié des prisonniers ont de l'eau jusqu'aux chevilles. Voilà la brillante idée de Titus et Domitien pour les spectacles d'hier soir et de ce matin. Ça ne marche pas. D'après la rumeur, ils vont enlever le réservoir et les canalisations pour construire des cellules souterraines à la place, comme à Capoue, avec un système de trappes qui permettra de faire apparaître les animaux dans l'arène comme par magie... Nous y voici. La cellule d'Orphée.

Verucus souleva l'épaisse barre de chêne et poussa la lourde porte. Lupus plissa le nez en entrant. Cette cellule vide était sombre et malodorante. Il n'y avait pas de meubles, juste un banc enduit de plâtre pour dormir, le long d'un mur, et un seau en bois dans un coin. À une extrémité de la banquette gisait une chaîne en métal terminée par un anneau vide pour la cheville.

– Prends le seau de latrines ! ordonna Verucus. On peut l'emporter avec nous : ce prisonnier-là ne reviendra pas.

Il verrouilla la porte derrière Lupus et secoua tristement la tête.

– Le prisonnier de la cellule d'à côté n'est qu'un enfant. Il paraît que c'est lui qui a allumé l'incendie, le mois dernier.

Le cœur de Lupus se mit à battre la chamade. Était-ce Jonathan ? Il savait qu'il allait bientôt le découvrir.

– Ils sont pour les combats d'animaux, ces hippopotames ? Comment pourra-t-on déplacer des bassins aussi lourds de sorte que les gens puissent voir ? demanda Nubia à Bar-Mnason.

Il s'esclaffa.

– On ne va pas bouger les bassins. Tu n'as pas vu l'amphithéâtre aujourd'hui, n'est-ce pas ?

Nubia secoua la tête.

– Ils l'ont rempli d'eau, hier soir, pour un numéro de néréides[1], une fausse bataille navale et une exécution. Tout ça éclairé par des torches. L'eau fait un mètre cinquante de profondeur. Comme dans ce bassin.

Il éclata de rire en voyant l'expression de Nubia.

1. Nymphes marines de la mythologie, filles d'un vieux dieu de la mer, le sage Néréus.

– Les acrobates se balançaient au-dessus de l'eau, tout à l'heure. Et maintenant, ce sont les funambules qui passent. Espérons que l'éléphant ne va pas tomber. Ça ferait de sacrées éclaboussures !

Il gloussa.

– Tu vois cette porte, là-bas, au bout du bassin ?

Nubia hocha la tête.

– Quand on l'ouvrira, les hippopotames et les crocos sortiront directement dans l'arène. Et l'eau est si transparente que même les dames du dernier étage pourront les voir.

– Ensuite, les hippos et les crocos vont se battre dans l'eau ? demanda Nubia.

– Mieux que ça, dit Bar-Mnason avec un rictus. Viens par ici.

Il l'entraîna vers une fine ouverture dans le mur de marbre, légèrement bombé.

– Regarde par ce trou. Il est presque invisible pour les spectateurs, mais il permet de voir ce qui se passe dans l'arène.

Nubia colla l'œil contre la fente horizontale. Elle avait une vue restreinte et, au début, elle n'identifia pas ce qu'elle voyait : deux rangées de sièges pratiquement identiques. Puis elle inspira brusquement. L'arène était remplie d'eau, et des rangées de sénateurs en toge blanche se reflétaient sur sa surface miroitante. L'eau était parfaitement lisse, sauf au milieu, où une île émergeait.

– Contemple ! Je veux dire : regarde ! Une île !

– Elle est chouette, non ? La structure est en bois recouvert de terre, de plantes et d'arbres. Il y a même une grotte. Ils s'en sont servis pour la bataille navale et l'exécution, hier soir. Sauf que le criminel a survécu. Je leur avais bien dit de lâcher les hippopotames !

– Où ont-ils trouvé autant d'eau ?

– Ils l'ont détournée de l'aqueduc. Ça n'a pris que quelques heures pour remplir l'arène avant la représentation du soir.

Il fit un geste du menton.

– Papa est dans l'île, en ce moment. Avec les ours en cage.

– Je ne le vois pas sur l'île.

– Je n'ai pas dit « sur l'île », j'ai dit « dans l'île ».

– Pourquoi est-il dans l'île ?

– Pour le numéro d'Orphée.

Nubia se détourna de l'ouverture pour regarder Bar.

– Pourquoi a-t-on déguisé un criminel en Orphée ?

Bar haussa les épaules.

– Les Romains aiment exécuter les criminels en public, et amuser le peuple par la même occasion. Ils sont efficaces.

– Mais Orphée était un musicien ; il jouait si merveilleusement qu'il pouvait charmer les arbres, les pierres et les bêtes sauvages.

Nubia colla de nouveau l'œil contre l'ouverture.

– Alors pourquoi déguiser un criminel en Orphée ?

Bar haussa les épaules.

– Qui sait ? Peut-être que c'était un musicien. Ou peut-être qu'il vient de Thrace, comme Orphée. Les Romains n'ont pas vraiment besoin de raison. Ils sont encore plus passionnés par les mythes grecs que les Grecs eux-mêmes.

Bar gloussa.

– Orphée va être conduit sur l'île à la rame par de belles jeunes filles blondes.

Nubia hocha la tête. Flavia leur avait tout raconté au sujet de ce numéro, la veille au soir. Elle espérait y participer pour pouvoir questionner Fabius à propos des prisonniers.

– Il y a déjà des animaux apprivoisés sur l'île, poursuivit Bar. Mais au milieu de la deuxième chanson, mon père va lâcher les ours. Là, on verra bien si « Orphée » est capable de charmer les animaux avec sa musique !

Le cœur de Nubia s'emballa quand elle comprit ce qu'il disait.

– Des ours ! s'écria-t-elle. Oh là là, les filles vont courir un terrible danger !

Nubia agrippa le bras de Bar-Mnason.

– Les filles sont en danger !

– Quoi ? Tu parles de ces petites nymphes blondes ?

– Oui !

Il s'esclaffa.

– Les ours ne feront pas de mal aux filles. Ils seront trop occupés à dévorer Orphée.

– Ah.

Nubia était tellement soulagée qu'elle en avait la nausée.

– Non, les ours ne vont pas manger les filles, répéta Bar en ouvrant la porte du bassin. Ça, ce sera le rôle de ces beautés.

– Quoi ?

Bar hocha la tête.

– C'est Domitien qui a eu l'idée. Voilà pourquoi il a demandé à Fabius de choisir des filles qui mesurent moins d'un mètre cinquante et qui sont toutes esclaves ou orphelines. Si elles ne se noient pas, les hippos et les crocos leur régleront leur compte.

– Non ! hurla Nubia. NON !

– Qu'est-ce que tu as ? Ce ne sont que des esclaves.

– Il y a mon amie Flavia parmi elles !

– L'une des nymphes est une amie à toi ?

Nubia hocha la tête.

– Ne lâche pas les hippopotames !

– Trop tard ! gémit Bar. Ils sont déjà partis !

Il jura dans sa barbe. Nubia lui tira le bras.

– Nous devons faire quelque chose ! Bar, je dois l'aider !

Il secoua la tête, l'air sombre.

– On ne peut rejoindre l'île que lorsque l'arène est à sec, pas lorsqu'elle est remplie d'eau. Je suis désolé, Nubia. Ton amie est condamnée.

Flavia souriait, ravie, sous les vagues d'acclamations qui déferlaient sur elle.

Les filles s'étaient remises de leur surprise initiale et ramaient en rythme. Les jolies pagaies jetaient un éclat rose puis bleu à mesure que le bateau avançait sur les eaux tranquilles en direction de l'île verdoyante. Orphée jouait toujours et, quand les cris du public s'estompèrent, il commença à chanter.

Les filles l'accompagnèrent en fredonnant « La, la-la-la, la-laa ! » et l'orgue aquatique joua le même air, doucement, pour qu'on entende les filles. Dans les étages les plus élevés, les gens avaient retenu la mélodie et se mirent à entonner le refrain avec les filles.

Un parfum de chèvrefeuille remplit soudain les narines de Flavia, et une sensation tout aussi délicieuse lui gonfla la poitrine. C'était une émotion qu'elle n'avait encore jamais éprouvée, un mélange complexe de plaisir, d'excitation et d'orgueil.

Était-ce cela que la célébrité vous faisait ressentir ? Ou la gloire, plutôt ?

Dans tous les cas, elle appréciait.

Elle jeta un coup d'œil par-dessus son épaule et vit qu'ils étaient presque arrivés. Peu après, le bateau heurta le bord de l'île et Orphée sauta lestement sur le gazon.

Deux des filles assises à l'avant se servirent de leur pagaie pour éloigner le bateau, puis les « nymphes » se mirent à ramer langoureusement autour de l'île.

Orphée posa un pied sur un rocher peint et chanta l'histoire de son épouse, Eurydice, mordue par une vipère venimeuse le jour même de leur mariage. Il déclara qu'il était prêt à se rendre au pays des morts pour la ramener. Sa voix trembla à peine quand il annonça qu'il allait descendre dans le monde souterrain, lui, Orphée, charmer Cerbère[1] avec sa musique et faire fondre le cœur de Pluton et de Perséphone[2].

1. Chien mythique à trois têtes, gardien des portes des Enfers.
2. Fille de Déméter. D'une grande beauté, elle fut enlevée par le dieu Pluton et règne avec lui sur les Enfers pendant six mois de l'année.

– Je ramènerai Eurydice, roucoula-t-il, je ramènerai l'amour de ma vie du pays des morts !

Une dizaine d'oiseaux multicolores jaillirent de la grotte et se posèrent autour de lui, sur les buissons et les petits arbres ; la foule poussa des « Ooooh ! » éblouis.

Quelques instants plus tard, la foule soupira :

– Aaaaaah !

Des lapins blancs étaient apparus en bondissant, suivis d'un faon tacheté aux longues pattes graciles.

– Mais… !

Ce cri étranglé qui jaillit soudain de la gorge de cinquante mille Romains produisit le bruit le plus étrange que Flavia ait jamais entendu. Elle regarda par-dessus son épaule : une forme sombre émergeait de la grotte.

– Un ours ! hurla une des filles derrière elle. Il y a un ours sur l'île !

Le trémolo d'Orphée se mua en hurlement de terreur.

Flavia et les autres filles cessèrent de ramer.

Les yeux du condamné s'agrandirent de terreur et, bien qu'il ait la bouche ouverte, aucun son n'en sortit.

Dès qu'il se mit à courir, l'ours s'élança à sa poursuite.

– Tiens ! haleta Orphée, en poussant le faon sur la route de l'ours. Mange ça !

Mais l'ours avait dû être dressé à aimer la chair humaine. L'énorme animal ignora le faon vacillant et fonça derrière l'homme.

Des éclats de rire résonnèrent dans l'amphithéâtre tandis que l'ours pourchassait sa victime tout autour de la petite île. Par-dessus les rires, Flavia entendit des sifflements et des huées dériver depuis les étages supérieurs.

– Eurydice t'a envoyé un cadeau du monde souterrain ! plaisanta quelqu'un.

– Sers-toi de ta lyre, Orphée !

– Charme-le avec ta musique !

– Ne la jette pas ! Joues-en !

– C'est bien fait pour toi, sale pilleur de temple !

Soudain – trop tard –, Flavia se rappela à quel moment les nymphes des rivières apparaissaient dans l'histoire d'Orphée.

Après sa mort, elles retrouvaient sa lyre, ses membres arrachés et sa tête.

Dans le bateau, quelques filles riaient aussi, à présent, mais Flavia voyait l'expression de terreur absolue sur le visage de l'homme et des bavures brunâtres – de la teinture pour les cheveux, sans doute – dégouliner de son front avec la transpiration. Elle savait ce qui devait lui arriver.

– Sautez à l'eau ! lui hurla Flavia. Sautez !

Mais Orphée continua de courir. Peut-être qu'il ne l'avait pas entendue, ou qu'il ne savait pas nager.

Soudain, un tonnerre d'acclamations retentit et Marcia indiqua la grotte.

– Encore un ours ! gloussa-t-elle. Maintenant, il est fichu !

Certaines des filles pleuraient, d'autres riaient, mais pas une ne ramait. Le bateau s'éloignait lentement de l'île, à force de dériver.

Des clameurs retentirent dans la foule quand le plus gros des ours jeta finalement Orphée à terre d'un coup de patte. Les deux énormes bêtes se penchèrent sur l'homme, et Flavia détourna les yeux. Puis elle se boucha les oreilles, pour ne plus entendre les cris.

Un coude pointu dans ses côtes la força à ôter ses mains.

– Regarde ! gloussa Marcia. L'un des ours a son bras dans la gueule !

Soudain, son gloussement se transforma en hurlement.

– Notre bateau ! cria-t-elle en pointant le doigt dessus. Il coule !

Flavia baissa les yeux. Cinq centimètres d'eau clapotaient autour de ses pieds nus, au fond de la barque. Elle avait été tellement bouleversée par la scène terrible qui se déroulait sur l'île qu'elle ne l'avait même pas remarqué. Maintenant, sous ses yeux, une fissure s'ouvrit au fond du bateau et une pensée épouvantable lui vint.

– Et si Orphée n'était pas le seul à s'être fait avoir ? dit-elle.

Mais personne ne l'entendit. Les autres filles s'étaient mises à hurler et à appeler au secours. Flavia leva les yeux vers la loge impériale. Titus les aiderait.

Mais l'homme assis sur le trône de l'empereur n'était pas Titus. Il était plus jeune et il était brun. Hilare, il disait quelque chose à sa voisine en pointant le doigt.

Domitien.

C'était Domitien, le frère cadet de l'empereur.

Et ce n'était pas le bateau en train de sombrer qu'il désignait. C'était quelque chose d'autre, derrière le bateau.

Flavia se redressa lentement et regarda dans cette direction.

– Le bateau coule ! hurlait Marcia, hystérique. Je ne sais pas nager et le bateau coule ! On va toutes se noyer !

– Non, dit Flavia d'une voix tremblante. On ne va pas se noyer. Les hippopotames nous auront attrapées avant.

ROULEAU XX

Les bruits s'estompèrent brusquement autour de Flavia. Les cris de la foule, les éclats de l'orgue aquatique et les hurlements des filles devinrent à peine audibles. Elle avait déjà vu des hippopotames sur des mosaïques et Nubia lui avait raconté de quoi ces énormes bêtes étaient capables.

Tout semblait se passer au ralenti. Deux des filles essayaient de les ramener d'où elles venaient, à coups de pagaie frénétiques ; les autres, debout, faisaient violemment tanguer le bateau. L'eau leur arrivait aux chevilles, à présent, et le visage terrifié d'une fille surgit dans le champ de vision de Flavia. C'était Marcia. Elle lui hurlait quelque chose en la secouant par les épaules.

Mais Flavia n'entendait que son pouls affolé qui lui martelait les oreilles.

Soudain, elle sentit plutôt qu'elle n'entendit le bateau se fissurer. Il se fendit en deux. Flavia hoqueta sous le choc de l'eau froide, mais parvint à fermer la bouche juste avant de couler. Ses orteils frôlèrent le fond sablonneux ; elle se propulsa vers la surface.

En inspirant frénétiquement pour reprendre son souffle, elle écarta ses cheveux mouillés de ses yeux et se mit à nager en regardant autour d'elle. Toutes les filles étaient dans l'eau, maintenant. Elles s'agitaient, paniquées, près du bateau en morceaux ; les rames et les guirlandes flottaient autour d'elles.

Une main lui agrippa le bras – une poigne de fer douloureuse. Le visage terrorisé de Marcia apparut, les yeux immenses, la bouche ouverte. Puis elle disparut, arrachée violemment à Flavia quand un hippopotame la saisit dans ses terribles mâchoires.

Flavia voulut hurler, mais de l'eau lui remplit la bouche. Elle se redressa en toussant. Du coin de l'œil, elle vit un deuxième hippopotame entraîner une autre fille sous l'eau.

L'île. Elle devait gagner l'île. C'était son seul espoir. Son cœur battait si fort qu'elle crut qu'elle allait mourir, mais elle battit des pieds pour s'approcher de son but. Elle pouvait remercier les dieux que Lupus lui ait appris à nager l'été précédent. Elle se concentra sur sa respiration et sur ses mouvements, en s'efforçant de ne pas penser à ce qu'elle venait de voir.

Peu après, elle remarqua que l'eau était rose autour d'elle, mais elle essaya de ne pas penser à cela non plus.

Maintenant, chaque inspiration lui coûtait un effort, parce que la terreur lui nouait la poitrine. Ses bras et ses jambes tremblaient, mais elle nagea obstinément vers l'île. Elle n'était plus très loin.

Sur sa droite, une planche flottait dans l'eau. Elle obliqua dans cette direction. Si elle pouvait seulement l'atteindre et s'y accrocher un moment, elle pourrait reprendre ses esprits et son souffle. Elle l'avait presque rejointe quand la planche ouvrit un horrible œil jaune et se tourna d'un coup de queue.

Flavia se retrouva face aux mâchoires béantes d'un crocodile.

– Le prisonnier de cette cellule n'est qu'un gamin, dit Verucus à Lupus. On prétend qu'il a allumé l'incendie, le mois dernier, mais il est évident que ce garçon ne ferait pas de mal à une mouche. Pauvre petit. Il n'imagine pas ce qui l'attend.

Verucus fit glisser le verrou, poussa la porte de la cellule et tenta de le saluer gaiement :

– Bonjour, le frisé ! On est venus vider ton seau de latrines, et je t'ai apporté un bon pain blanc pour ton petit déjeuner.

Le cœur de Lupus battait la chamade. Jonathan. C'était forcément Jonathan !

En voyant le garçon brun aux cheveux bouclés étendu sur la banquette, quand il entra dans la pénombre de la cellule, Lupus écarquilla les yeux.

Flavia avait entendu dire que, lorsque vous êtes sur le point de mourir, votre vie se déroule devant vous comme un rouleau peint. Mais, alors qu'elle fixait la gueule du crocodile, elle ne vit pas sa vie défiler.

Elle vit le visage de son père. Que ferait-il sans elle ? Il serait tellement triste. Il avait perdu trop de proches. Non ! Elle refusait de mourir !

Elle regarda autour d'elle, en quête d'un objet qui pourrait lui servir d'arme. Une rame. Un morceau de bois du bateau. N'importe quoi. Mais il n'y avait qu'une guirlande violette qui flottait sur l'eau rose.

Le crocodile avait refermé sa gueule pour avancer vers elle.

Soudain, Flavia eut une idée. Elle saisit la guirlande et, au lieu de s'éloigner du crocodile, elle nagea droit sur lui. Avant qu'il ait le temps de rouvrir ses terribles mâchoires, elle jeta la couronne de fleurs sur sa gueule, puis fit volte-face et battit furieusement des pieds en direction de l'île.

Malgré les battements assourdissants de son cœur et le fracas de ses bras dans l'eau, elle entendit la clameur de la foule. Elle n'osa pas regarder derrière elle. La corde de chanvre décorée de violettes, de crocus et de chèvrefeuille lui ferait peut-être gagner un peu de temps… mais pas beaucoup.

Elle avait rejoint l'île, à présent, mais quand elle s'agrippa à la rive au-dessus d'elle, une motte de gazon se détacha et tomba. Puis une autre. Il n'y avait pas de prise.

Flavia essaya encore et encore de se hisser, mais ses bras tremblaient violemment. Elle se mit à sangloter. Elle avait échoué. Elle savait que d'une seconde à l'autre, les dents jaunes du crocodile se planteraient dans ses jambes et l'entraîneraient vers une mort atroce.

– Flavia ! cria une voix familière au-dessus d'elle. Contemple ! Je suis là.

Soudain, des mains brun foncé lui saisirent les poignets et Flavia se sentit soulevée hors de l'eau.

Elle volait !

En levant la tête, elle découvrit le beau visage grave de Nubia, encadré par la tête de lion de sa cape. En dessous de Flavia, l'énorme crocodile se dressa dans l'eau et donna des coups de dents, essayant de lui attraper les pieds.

Mais ses mâchoires se refermèrent sur le vide et les deux filles furent emportées dans les airs, au-dessus de l'île.

Ce fut le délire dans la foule.

Le demi-dieu Hercule était descendu de l'Olympe pour sauver la jeune nymphe courageuse.

– Lâche-moi ! hoqueta Nubia. Je ne suis pas assez forte pour continuer à te tenir pendant qu'on remonte tout en haut.

Flavia acquiesça et la lâcha. Elle tomba d'un mètre ou deux et roula sur le gazon de l'île artificielle, faisant fuir les lapins.

En tenant la corde de la main droite, Nubia défit la fermeture du harnais et sauta derrière son amie.

Il lui avait fallu tout son sang-froid pour ne pas s'évanouir quand on l'avait descendue quarante-cinq mètres plus bas, depuis les hauteurs de l'amphithéâtre. Elle avait espéré aider les autres filles, mais, le temps d'atteindre l'île, elle avait compris que Flavia était la seule survivante.

En se remémorant ce qu'elle avait vu pendant sa descente, Nubia s'agenouilla sur l'herbe et vomit.

Elle leva la tête et vit une Flavia tremblante debout devant elle, les mains tendues pour l'aider à se relever. Une fois sur pied, elle ôta sa peau de lion.

– Tiens, porte-la, dit-elle en enveloppant les épaules de son amie. Tu trembles de froid et ta tunique est transparente quand elle est mouillée.

– Vite, les filles ! appela une voix d'homme. Entrez dans la grotte. Ces ours ont été dressés à aimer la chair humaine. S'ils vous flairent…

Nubia hocha la tête et prit le bras de Flavia. Sans regarder le membre sanglant qui gisait sur l'herbe, elle tira son amie vers l'entrée de la grotte.

Soudain, elle se figea. L'un des ours, dressé sur les pattes arrière comme un homme, avait surgi au détour du monticule. Le sang de Nubia se glaça dans ses veines. C'était un ours nubien, le plus gros et le plus féroce de tous. Du sang dégoulinait de ses pattes et de son museau, et sa poitrine en était couverte. La bête s'immobilisa en vacillant et huma l'air de sa truffe sanglante.

Flavia prit une profonde inspiration pour hurler, mais Nubia lui planta les ongles dans le bras.

– Ne montre jamais à un animal que tu as peur de lui ! lui souffla-t-elle calmement.

Flavia ferma la bouche et acquiesça. Elle tremblait tellement que Nubia sentait les spasmes se répercuter sur son corps à elle.

– Par ici ! insista la voix de la grotte, et Nubia reconnut Mnason.

Mais à présent, l'ours se tenait entre elles et l'entrée du refuge. Avec son museau dressé, il perçut leur odeur et se tourna lentement vers elles.

Nubia réfléchit à toute vitesse. Pourrait-elle l'apaiser avec une chanson ? Son instinct lui dit que non, alors elle parla, d'une voix calme mais forte :

– Va-t'en, ours !

L'animal chancela, presque imperceptiblement.

Nubia savait qu'il n'avait pas faim – il venait de dévorer Orphée – et elle avait employé sa voix la plus autoritaire. Pendant un bref instant, elle crut que son plan avait marché.

Mais une lueur brilla dans les petits yeux méchants de l'ours ; il se laissa tomber à quatre pattes et fonça droit sur elles.

Lupus sentit une nouvelle vague d'espoir inonder sa poitrine quand le garçon bouclé se redressa sur sa banquette et se tourna vers eux.

Puis son moral sombra. Même dans la pénombre de la cellule, il voyait que ce garçon n'était pas Jonathan. Il avait des traits délicats, des yeux clairs et un sourire bizarre.

– Bonjour, Verucus, dit-il d'une voix aiguë, presque féminine. Comment vas-tu ?

– Très bien, mon chou ! répondit Verucus. Voilà Lupus, il va vider ton seau de latrines.

– Bonjour, Lupus, dit le garçon avec un gentil sourire.

Lupus le regarda à peine. Il sentit des larmes lui piquer les yeux et ravala un sanglot qui menaçait de lui faire perdre sa dignité.

C'était donc lui, le garçon bouclé qu'ils avaient cherché tout ce temps. Ce n'était pas Jonathan. C'était juste un simple d'esprit aux yeux bleus.

Quand l'ours bondit vers elle, Flavia ferma les yeux et agrippa la main de Nubia. Elle ne crierait pas. Si elle devait mourir, au moins elle affronterait courageusement la mort.

Soudain, elle entendit la foule pousser une acclamation retentissante et elle ouvrit les yeux. L'ours s'était arrêté en chancelant. Puis elle vit la flèche qui dépassait de son flanc hirsute. Sous ses yeux, il reçut une deuxième flèche dans le cou. Nouveau cri dans la foule.

Le premier ours s'effondra, mais un deuxième apparut. Lui aussi reçut aussitôt deux flèches dans la tête.

Flavia se retourna pour voir qui tirait ; les flèches semblaient venir des gradins.

– Là ! murmura Nubia, le doigt pointé.

Flavia suivit son doigt et sa mâchoire se décrocha.

Les flèches venaient de la loge impériale.

173

Une autre fusa, et le deuxième ours s'écroula enfin. Des acclamations assourdissantes éclatèrent dans le public.

Le tireur posa son arc et fit un signe aux filles.

Elles étaient hors de danger. Vivantes et hors de danger. Flavia sentit un spasme brutal secouer ses genoux et, soudain, sa vue se brouilla. Elle savait que même Nubia ne pourrait pas la maintenir debout.

Juste avant de s'évanouir, Flavia parvint à répondre d'un geste faible à leur sauveur : le frère cadet de l'empereur. Domitien.

– Oh ! grogna Flavia. Que s'est-il passé ?

Elle sentait un goût de vin dans sa bouche et le goulot en cuir dur de la gourde contre ses dents.

– Bois ça.

C'était une voix familière.

– Je vais vomir, gémit-elle.

– Bois du vin, ça aide.

La voix de Nubia.

Flavia avala une gorgée de vin pur et regarda autour d'elle. Elle se trouvait dans un espace sombre, froid et humide, fait de bois et de plâtre.

– Nubia ! dit-elle, et elle serra son amie contre elle.

Nubia avait remis sa peau de lion et Flavia était enveloppée dans une couverture rêche qui avait une légère odeur de crottin et de fauve.

Puis elle vit des dents blanches briller sur un visage sombre.

– Mnason !

Il hocha la tête.

– Bonjour, Flavia Gemina. Tu as été éblouissante. Mettre ta guirlande autour de la gueule du crocodile… c'était sacrément bien inspiré !

– Tu as vu ça ?

Il acquiesça.

– Il y a un trou pour regarder, là. Au-dessus de la surface de l'eau. Nous sommes à l'intérieur de l'île, au fait. Je voulais t'aider, mais j'étais trop loin. Et toi, Nubia ! Comment as-tu fait pour grimper tout en haut si vite ? Et comment as-tu convaincu les esclaves de te descendre avec la corde ?

– Grâce à votre fils, expliqua Nubia. Il a ordonné aux esclaves de m'aider et m'a montré comment attacher et défaire la boucle.

– Il est malin, ce garçon. Et toi, tu es courageuse.

– On peut s'en aller, maintenant ? gémit Flavia.

Malgré la couverture, elle était agitée de frissons incontrôlables.

Mnason secoua la tête.

– Désolé, dit-il. Pas tout de suite.

Flavia entendit des acclamations étouffées.

– Que se passe-t-il ? demanda-t-elle, en essayant de ne pas penser à ce qu'elle venait de voir.

– Ils ont commencé à vider l'eau et ils ont envoyé des Pygmées tuer les crocodiles et les hippopotames.

– C'est quoi, des Pygmées ?

– C'est un peuple de toute petite taille qui vient d'Afrique.

– Ah. Et maintenant, on peut partir ?

– Il n'y a aucun moyen de quitter la grotte tant qu'il reste de l'eau dans l'arène. Seulement quand c'est sec. Dès qu'ils auront vidé l'eau, ils vont nous rouler hors de l'arène et nous pourrons sortir d'ici.

Il s'interrompit et Flavia le vit dévoiler ses dents dans un nouveau sourire.

– Je suppose que vous n'avez pas envie de rejoindre les Pygmées dehors ? La foule serait ravie et je pourrais vous promettre un sac d'or à chacune…

– Non merci, grogna Flavia, je crois qu'on a eu assez d'émotions pour aujourd'hui.

– Sa Majesté impériale Titus Flavius Domitianus ! annonça le soldat, et il poussa doucement Nubia et Flavia vers l'avant.

Il était presque midi et les filles avaient été convoquées pour prendre un déjeuner léger avec leur sauveur, Domitien. Dans la loge impériale, une dizaine de visages curieux se tournèrent vers elles.

– Thétis la nymphe marine et Hercule le héros ! s'exclama Domitien, en se levant d'un fauteuil en ivoire finement gravé et en s'approchant d'elles. Mais maintenant, je vois que c'est Hercula. Tu n'es pas un garçon !

Le frère cadet de l'empereur n'était pas grand, mais il était musclé et séduisant, avec ses boucles brunes et ses grands yeux marron. Nubia sentit son visage s'enflammer sous son regard et elle baissa les yeux.

– César, murmura Flavia.

Elle s'avança et baisa en tremblant la main que Domitien leur tendait. Nubia suivit son exemple.

Domitien aida Nubia à se redresser et elle perçut un tremblement dans la voix de Flavia quand celle-ci déclara :

– Merci de nous avoir sauvé la vie.

– Je vous en prie. Ça m'a fait plaisir. Je suis un excellent archer et je ne rate jamais une occasion d'exhiber mon talent.

Nubia lui jeta un regard furtif, puis baissa rapidement les yeux.

Il la regardait toujours fixement.

Asseyez-vous, mesdemoiselles, dit le frère cadet de l'empereur en leur indiquant une banquette couverte de coussins, à gauche de son trône, tout à l'avant de la loge. Nous allons prendre des rafraîchissements.

Au même moment, un jeune esclave aux cheveux longs disposa une petite table devant la banquette.

– Flavia ! Nubia ! s'écria une voix depuis l'entrée. Par le paon de la grande Junon ! Vous êtes entières, les filles ?

Nubia vit Sisyphe se débattre pour se faufiler entre deux gardes solidement charpentés.

– Oh, Sisyphe ! s'exclama Flavia en courant vers le jeune Grec fluet.

Elle lui sauta au cou.

Domitien haussa un sourcil.

– C'est ton père ?

– César !

Sisyphe écarquilla les yeux et Nubia le vit essayer de se courber alors que Flavia se cramponnait toujours à lui.

– César, mon nom est Sisyphe. Je suis le secrétaire du sénateur Cornix. Sa nièce, Flavia Gemina, et son amie Nubia sont sous ma protection.

– Enchanté de te rencontrer. Entre donc, viens te joindre à nous.

Domitien s'étendit confortablement sur son fauteuil en ivoire.

– Voici mon épouse, Domitia…

Il agita paresseusement le bras sur sa droite.

– … ma nièce Julia[1] et son mari Flavius Sabinus[2]. Et voici mes amis Calvus le sénateur et Martial, un poète.

– Oh, Sisyphe, c'était affreux ! cria Flavia. D'abord les hippopotames, puis les crocodiles et enfin les ours…

Nubia l'entendit claquer des dents.

– Je sais, ma pauvre ! Oh là là, si je ne l'avais pas vu, je n'y aurais pas cru. Mais le peuple a adoré. Viens, acceptons la gentille proposition de César et asseyons-nous là sur le divan, à côté de Nubia ! Ça va, ma grande ? demanda-t-il à Nubia.

1. Fille de l'empereur Titus, âgée d'environ quinze ans à l'époque où se déroule cette histoire.
2. Titus Flavius Sabinus était le mari (et le cousin) de Julia, la fille de Titus.

Elle hocha la tête et lui adressa un faible sourire.

– Nubia *ex machina*[1], dit Sisyphe. Ma chère, tu as été extraordinaire !

À côté d'elle, Flavia tremblait toujours si violemment que tout le divan remuait.

Nubia ôta la couverture rêche de Mnason des épaules de son amie et la remplaça par un tissu bleu et doux du divan impérial.

– Prenez des rafraîchissements, dit Domitien, qui les observait. Vas-y, Nubia l'héroïne, je te l'ordonne ! ajouta-t-il en riant.

Nubia, docile, se pencha en avant et prit une datte sur la table basse. Quand elle mordit dans sa chair délicieuse et ferme, elle prit soudain conscience qu'elle mourait de faim.

En suspension au-dessus de l'arène, les nains déjeunaient également. Ils étaient assis sur des chaises posées en équilibre sur la corde et jonglaient avec des fruits, tandis que l'orgue aquatique jouait une mélodie guillerette. En dessous d'eux, des esclaves apportaient en courant les derniers panneaux de bois pour recouvrir le bassin vidé. Nubia était impressionnée de voir à quel point tout paraissait plus grand et plus détaillé depuis cet étage-ci.

1. Renvoie au moment d'une pièce de théâtre où un acteur déguisé en dieu ou en déesse est descendu sur la scène au moyen d'un treuil pour rétablir la situation.

Elle reporta son attention sur les autres occupants de la loge et, pendant que Domitien et ses invités commençaient à manger, elle les observa discrètement.

Domitia, l'épouse de Domitien, était une brune au nez imposant et au menton fuyant. Sa coiffure compliquée était tellement figée et sa posture tellement raide qu'elle semblait sculptée dans du marbre. Au contraire, la nièce de Domitien, Julia, évoquait à Nubia une pêche bien mûre. C'était une jolie rousse d'environ quatorze ou quinze ans. Elle avait un petit cou, un corps pulpeux et une bouche en forme d'arc de Cupidon. Nubia nota que Julia jetait sans cesse des regards en biais vers Domitien et, une fois, elle le vit lui répondre par un clin d'œil.

Un homme avenant, aux cheveux auburn, était assis à gauche de Julia – son mari, sans doute. À droite de la jeune femme, il y avait un personnage simiesque avec les bras et les jambes poilus, et des sourcils qui se rejoignaient au-dessus du nez. Il prenait des notes sur une tablette de cire. Un monsieur chauve, vêtu d'une tunique à rayures rouges, avait libéré leur divan pour s'installer dans un fauteuil doré derrière eux. Ce devait être le sénateur.

De jeunes esclaves entrèrent dans la loge avec des plateaux d'argent chargés de pâtisseries en forme d'animaux. Flavia secoua la tête quand Sisyphe pressa un hippopotame au miel et aux amandes contre sa bouche obstinément fermée, pour l'encourager. Nubia voyait bien que son amie avait perdu l'appétit.

Mais elle, de son côté, n'avait jamais eu aussi faim ; quand le jeune esclave tendit le plateau vers elle, elle dévora trois lions, deux tigres et un ours.

Lupus chercha une cachette où personne ne pourrait le trouver.

Il avait ignoré le cri de rage de Verucus et avait filé en courant, à l'aveuglette, dans un couloir après l'autre. Enfin, il avait trouvé cette petite niche en hauteur, derrière une statue de Cupidon. Elle était étroite et il devait baisser la tête, mais il s'y sentait à l'abri. Il avait l'impression d'être un animal blessé qui s'est réfugié dans son terrier pour lécher ses blessures. Mais ses blessures à lui se trouvaient à l'intérieur et le seul moyen de les soulager, c'était de pleurer. Alors il laissa de grosses larmes brûlantes couler silencieusement sur ses joues.

Ils avaient tout misé sur le fait que le garçon aux cheveux bouclés de la rumeur serait Jonathan. Mais ce n'était pas lui. Jonathan devait donc être mort.

Il n'y avait plus d'espoir.

Nubia se pencha sur le parapet en marbre et contempla l'arène.

– Il n'y a plus que terre ferme là où se trouvait l'eau, proclama l'homme aux bras velus.

– Virgile[1] ? demanda Domitien.

1. Célèbre poète romain (70-19 av. J.-C.), auteur de *L'Énéide*.

– Non, ce vers est de moi, dit le poète avec une expression d'orgueil. Je viens de le composer.

– Excellent, murmura tout le monde, et Nubia hocha la tête aussi.

Elle avait du mal à croire que l'endroit où cinq filles de son âge venaient de mourir était redevenu une couche de sable propre et pur. Aussi propre et pur que le désert, le désert doré de son enfance.

Pourrait-elle jamais revoir du sable sans penser à la douleur et à la mort ? Sans se demander jusqu'où il fallait creuser pour trouver du sang ? Serait-ce désormais impossible pour elle de rentrer dans son pays, à cause des Romains ?

Elle observa les milliers de personnes dans le vaste amphithéâtre autour d'elle. Que faisait-elle ici ?

« J'essaie de retrouver Jonathan, se dit-elle. Voilà ce que je fais ici. »

Jonathan, qui lui était plus cher qu'un frère depuis cette nuit où ils avaient nagé avec des dauphins[1], tous les quatre. Jonathan qui les unissait, avec sa solide amitié, tout comme les notes graves de son barbiton[2] apportaient l'harmonie entre leurs instruments : flûte, tambour et tambourin.

Si Jonathan n'était plus là pour les maintenir ensemble, elle devait s'en charger elle-même. Flavia et

---

1. Voir *Les mystères romains*, tome 5 : *Les dauphins de Laurentum*.
2. Sorte de lyre basse d'origine grecque.

Lupus étaient devenus sa nouvelle famille. Et elle ne pouvait pas se permettre de perdre une autre famille. C'était à elle de les garder unis et de les protéger.

Elle entendit une voix murmurer derrière elle :

– Nubia…

Elle se retourna : Flavia lui tendait la main. Avec un sourire, Nubia la saisit, s'assit à côté de son amie qui pleurait et la réconforta.

Pour la première fois depuis leur rencontre, Nubia se sentit plus forte que Flavia.

Les larmes de Lupus se tarissaient quand il entendit des voix et des pas se rapprocher. Il renifla et s'essuya le nez avec le doigt. Puis il se figea.

– Les sénateurs sont scandalisés par le meurtre de ces petites filles.

C'était une voix d'homme. Une voix sourde, murmurée, qui parlait grec.

Son compagnon – un homme à la voix plus grave – répondit dans la même langue.

– Cette parade de mouchards, hier, ne voulait rien dire. Ce matin, Titus a révélé sa vraie nature. Nous disions qu'il serait un deuxième Néron, et il semble bien que nous avions raison !

– Tu sais, mon ami, c'est peut-être le moment idéal pour faire ce dont nous avons parlé… pour le détrôner. Mais nous devons agir immédiatement.

Lupus essuya les larmes de ses joues et se pencha prudemment vers l'avant pour voir les deux hommes qui chuchotaient dans le couloir, en contrebas. S'il regardait par-dessous le bras potelé du Cupidon en marbre, il pouvait les distinguer. L'homme à la voix plus grave avait le crâne dégarni. L'autre était très grand et mince. Ils avaient une petite trentaine d'années, devina-t-il, et les larges rayures rouges de leurs tuniques blanches lui indiquèrent qu'ils appartenaient à la classe des sénateurs.

– Toi et moi ? demanda Crâne-dégarni. Codirigeants à la place de Titus et Domitien ?

– Pourquoi pas ? répliqua le plus grand. Nous en avons déjà discuté. Nous sommes tous les deux d'une lignée plus élevée. Tu descends de la dynastie Julienne et mon arrière-grand-mère était la nièce de Pompée. Alors que le père de Titus et Domitien était un fermier qui conduisait une mule dans les monts Sabins !

– Et tu penses que c'est le bon moment, maintenant ?

– C'est le moment idéal. Le massacre de ces petites filles était scandaleux. Nous allons parler aux sénateurs dès aujourd'hui. Tester le...

– Chut ! Tu as entendu ?

Lupus recula dans l'ombre et retint son souffle.

– Allons dehors, dit Crâne-dégarni. Aucun risque qu'on nous entende, dans le vacarme.

Lupus entendit leurs pas s'éloigner et le silence revint, hormis le rugissement lointain de la foule.

Il savait qu'il devait prendre une décision.

Le trône de Titus était menacé. La vie même de l'empereur était peut-être en danger.

Mais pas plus tard qu'hier, Titus avait fustigé les indicateurs de Rome et les avait exhibés dans l'arène.

S'il parlait du complot à l'empereur, Lupus serait comme eux. Il ne serait qu'un mouchard, lui aussi.

– Qu'est-ce que ça veut dire ? rugit une voix tonitruante qui s'élevait depuis l'escalier et remplit la loge impériale.

Nubia leva la tête et vit l'empereur Titus apparaître. Sa cape violette dans une main, il traînait le dénommé Fabius de l'autre. Il jeta sa cape dans un tourbillon violet et força le magister ludi à s'agenouiller sur le sol en marbre coloré.

– Des jeunes filles nées libres jetées aux hippopotames ? Des gamines de dix ans qui luttent contre des crocodiles ? Par les Enfers, qu'est-ce que tu croyais faire ?

Le visage de l'empereur était cramoisi de rage.

– J'exhibe un millier d'indicateurs pour mettre fin à ma réputation de futur deuxième Néron, et qu'est-ce que tu fais ? Tu continues avec un massacre de petites filles blondes que même ce fou dépravé n'aurait jamais imaginé !

Fabius baissa la tête.

Titus avait toujours le souffle court, mais, à présent, son visage reprenait son teint normal. Il sortit son mouchoir et se tamponna le front.

– Alors ? Qu'as-tu à dire pour ta défense ?

Fabius leva la tête.

– Pardonnez-moi, César. Les filles… Nous avons pensé que ça plairait au peuple. Et le peuple a aimé, en effet. Ce n'étaient que des esclaves…

– Pas toutes, d'après ce que j'ai compris, rétorqua Titus. On m'a informé que certaines étaient nées libres et que l'une d'elles appartenait à l'ordre équestre.

– Imposs… commença Fabius, et ses yeux s'agrandirent comme des soucoupes quand il aperçut Flavia, les yeux rougis, qui frissonnait sur son divan.

Titus suivit son regard et il écarquilla les yeux, lui aussi.

– Flavia Gemina ! s'écria-t-il en haussant les sourcils. As-tu participé à ce numéro scandaleux ?

Flavia hocha la tête, puis fondit de nouveau en larmes. Nubia lui tapota l'épaule.

Fabius se remit péniblement sur pied.

— Mais César, votre frère Domitien a approuvé le programme d'aujourd'hui. Et cette fille m'a juré qu'elle était orpheline...

— Silence ! tonna Titus, et il pointa le doigt vers Flavia. Cette jeune fille m'a sauvé la vie, l'année dernière. Si elle était morte...

Il inspira profondément et baissa la voix, poursuivant dans un murmure menaçant :

— Si elle était morte, ton sort aurait été scellé. Mais comme elle a survécu... je vais te donner une chance. Puisque tu aimes tellement les gladiateurs, tu descendras dans l'arène avec eux !

— Mais César... gémit Fabius.

— Emmenez-le !

Titus adressa un signe de tête à deux soldats, qui entraînèrent Fabius hors de la loge impériale. Puis il se tourna vers Domitien.

— Tu étais au courant de tout ça ?

Domitien avait libéré le trône impérial et s'était étendu sur un divan. Il regarda son frère aîné en haussant les épaules.

— Fabius et moi, nous pensions que ça rendrait l'exécution plus distrayante...

— Distrayante ? crachota Titus.

Il reprit son souffle et s'efforça de parler d'une voix égale.

– En effet, reprit-il patiemment, comme s'il s'adressait à un enfant, les exécutions sont censées distraire le peuple. Mais aussi l'éduquer. Et le dissuader de commettre le même genre de crimes.

Il haussa le ton pour que les sénateurs, autour de lui, puissent l'entendre.

– Par-dessus tout, Domitien, les exécutions doivent montrer que justice est rendue.

Domitien prit une olive.

– Tu as gracié ce faux « Léandre », hier soir, quand il a échappé aux crocodiles.

– C'est mon devoir de faire preuve de clémence à l'occasion. D'autre part, si les dieux l'ont épargné, il avait dû être accusé à tort. Gracier quelqu'un qui est peut-être innocent n'est pas du tout la même chose que condamner de vrais innocents qui n'ont rien fait de mal ! Le seul crime que ces pauvres petites filles avaient commis, c'était d'être d'origine modeste. Et l'une d'elles était de haute naissance, en plus. Nous ne devrions jamais soumettre des patriciens à ce genre d'humiliation !

Domitien indiqua Flavia.

– Eh bien, j'ai sauvé celle qui était de haute naissance, non ?

– C'était vraiment *in extremis*, d'après ce qu'on m'a raconté, marmonna Titus.

Il balaya la loge du regard.

– Domitien, nous reprendrons cette discussion en privé. Pour le moment, retourne au Palatin, s'il te plaît. Je me charge de surveiller les combats de gladiateurs.

Domitien se leva lentement et inclina la tête.

– Très bien, César. Viens, Domitia.

Et, bien qu'il descendît les marches de la loge impériale d'un pas guilleret, l'air parfaitement calme, Nubia savait bien ce qu'il en était.

Elle avait remarqué le regard de haine absolue qu'il avait jeté à Titus.

– Excusez-moi, César, dit un garde au nez cassé en s'approchant. Il y a ici un jeune garçon qui prétend avoir des informations au sujet d'un complot contre vous. Je l'aurais volontiers jeté dehors, mais il m'assure que vous le connaissez.

Le grand garde tendit une tablette de cire usée.

– Un indicateur ?

Titus ferma les yeux, pinça le haut de son nez et poussa un profond soupir.

– Je pensais qu'il n'en restait plus un seul à Rome, depuis hier. Eh bien, voyons voir.

Il prit la tablette, l'ouvrit et l'examina. Depuis son divan à côté de lui, Flavia aperçut deux portraits gravés dans la cire.

– Ah !

Il se redressa et regarda le garde.

– Ça fait un moment que je les soupçonne, ces deux-là. Arrête-les immédiatement. Et fais entrer le garçon, veux-tu?

Le garde sortit et revint un instant plus tard avec un jeune garçon brun en tunique crasseuse.

– Lupus! s'exclamèrent Flavia, Nubia et Sisyphe.

Si Lupus était surpris de voir ses amis dans la loge impériale, il n'en laissa rien paraître. Il leur adressa un regard impassible.

– Tu as découvert un complot contre l'empereur? demanda Flavia, qui cessa de frissonner pendant un moment.

Il hocha la tête.

Titus lui posa la main sur l'épaule.

– Viens, assieds-toi et prends quelque chose à manger... ou à boire. Ensuite, je veux que tu me racontes comment tu as fait pour surprendre Africanus et Stertinius. Tu peux rester ici, dans ma loge, pour le reste de l'après-midi. C'est la meilleure place de tout l'amphithéâtre. Et le clou du spectacle va bientôt commencer: les combats de gladiateurs.

– As-tu trouvé?... murmura Flavia quand Lupus les rejoignit sur le divan.

Mais elle s'interrompit. Son air morne disait tout. Il n'eut même pas besoin de secouer la tête

191

pour que Flavia comprenne qu'il n'avait pas trouvé Jonathan.

Elle posa la tête sur l'épaule de Nubia. Malgré la couverture chaude de l'empereur qui l'enveloppait, elle tremblait encore plus qu'avant.

Une coupe en argent remplie de vin épicé bien frais et la sonnerie des trompettes remontèrent légèrement le moral de Lupus. Quand les gladiateurs émergèrent d'une entrée située sur sa droite et apparurent dans l'arène lumineuse, il se pencha en avant.

Titus reposa son assiette et jeta un coup d'œil vers le soleil.

– Ils commencent déjà ? Il me semble que ce n'est pas encore l'heure.

La foule poussait des acclamations et des rires. Les gens qui étaient partis acheter des en-cas pour le déjeuner ou faire un tour aux latrines se hâtaient de regagner leurs places.

– C'est le combat fantaisiste, César, dit Calvus, le sénateur chauve.

Lupus regarda de nouveau dans l'arène.

Les gladiateurs en armure portaient leur casque sous le bras, pour que le public puisse voir leur visage. Derrière suivaient les assistants, chargés de leurs armes, et enfin le lanista.

– Le combat fantaisiste ? répéta Titus.

– Oui, dit Calvus. Vous vous rappelez ces femmes gladiatrices qui ont combattu hier après-midi ?

Juste à côté de la loge impériale, des sénateurs poussaient des cris scandalisés.

– Oui. Mais là, ce ne sont pas des femmes… objecta Titus.

Lupus se pencha pour mieux voir. Puis il écarquilla les yeux.

– Non, dit Calvus, votre frère a prévu quelque chose de très nouveau pour le spectacle d'aujourd'hui. Il a pensé que ça amuserait la foule…

Mais, avant qu'il ait le temps de terminer, Lupus entendit l'empereur s'exclamer :

– … ce sont des enfants !

Quand la fanfare s'estompa, un présentateur s'avança sur l'ovale sablonneux de l'arène et leva la tête vers la loge impériale. De là, on l'entendait parfaitement bien.

– Pour votre amusement et votre plaisir, proclama-t-il, cinq duos d'enfants gladiateurs vont maintenant s'affronter.

Flavia resserra sa couverture bleue et se redressa.

Quand les jeunes gladiateurs se répartirent deux par deux et commencèrent leur échauffement avec des armes en bois, elle vit qu'il y avait des filles de son âge parmi eux.

– Nous avons tiré au sort, annonça le héraut, et les duos seront composés comme suit : Hostis et Prométhée, un murmillo contre un Thrace ; Serpens et Bastet, un hoplomachus[1] contre une fille-poisson. Deux combats opposeront un secutor et un

---

1. Gladiateur qui portait une armure, des protège-tibias métalliques sur des jambières matelassées et un casque à larges bords. Il se battait avec un bouclier rond et une courte épée rectiligne.

retiarius : Flaccus et Oceanus, suivis par Ursus et Numerius. Mais pour commencer les numéros fantaisistes d'aujourd'hui, nous avons Vulpina, la secutrix*, contre Mus, la fille au filet.

– Aaaah ! soupira la foule quand le héraut désigna une fille minuscule armée d'un trident en bois.

Elle ne portait qu'un pagne en plus des protections habituelles des retiarii sur les bras et les épaules.

Nubia, consternée, se tourna vers Flavia.

– Elle est tellement jeune !

Lupus leva huit doigts.

– Elle a peut-être même encore moins, dit Flavia.

Titus s'était levé de son trône et, les jointures blanchies, se cramponnait à la balustrade en marbre. Il se retourna et Flavia vit son visage rougir de fureur.

– Domitien ! siffla-t-il entre ses dents serrées. Par les dieux, je vais…

Les pieds d'ivoire de son trône grincèrent sur le marbre quand il l'écarta brutalement et s'élança dans son escalier privé.

– César ! lui lança Calvus. Vous ne pouvez pas partir maintenant ! Les enfants vous saluent ! Et vous devez inspecter les armes…

Il s'interrompit et regarda les autres occupants de la loge d'un air gêné.

– Je me charge d'inspecter les armes, intervint Julia.

Elle se glissa sur le trône de son père.

En bas, dans l'arène, deux esclaves avaient avancé un escalier mobile. Le lanista le gravit : sa tête et ses épaules arrivèrent à la hauteur du parapet. Deux gardes s'avancèrent dans un cliquetis métallique et se plantèrent de part et d'autre de Julia, dans une posture protectrice, car le lanista portait des armes mortelles sur un long plateau en bois.

Flavia entendit Julia demander :

– Qu'est-ce que je suis censée faire ?

– Juste vérifier qu'elles sont bien aiguisées, répondit le lanista. En touchant délicatement...

– Aïe ! cria Julia.

Horrifiée, elle écarquilla ses yeux noisette en voyant du sang couler de son doigt.

Sisyphe hoqueta et Flavia grimaça quand les deux gardes sortirent leur épée de son fourreau et la pointèrent contre la poitrine du lanista.

L'homme chancela quelques instants sur les marches.

– Hé, ho ! Je lui ai dit de les toucher délicatement !

– Ma chérie, es-tu blessée ? s'écria Sabinus, qui avait bondi sur ses pieds.

– Mais je les *ai* touchés délicatement ! répliqua Julia, ignorant son mari, en fusillant le lanista du regard.

Les gardes baissèrent leur épée, sans la rengainer.

Le lanista déglutit.

– Alors vous… vous les approuvez, domina[1] ? Elles sont suffisamment aiguisées ?

Julia agita la main dans un geste désinvolte.

– Oui, oui. Va-t'en. Commence tes fichus combats.

Pendant qu'on éloignait l'escalier à roulettes, Julia s'affala sur le trône de son père et suça le bout de son doigt blessé. Sabinus se pencha vers elle et lui murmura des paroles apaisantes.

Un arbitre en tunique longue avait utilisé son bâton pour tracer un grand cercle dans le sable et le premier duo s'avança : Mus, la toute petite retiaria, et Vulpina, la secutrix.

Flavia se redressa sur son siège, intriguée malgré elle.

Mus et Vulpina avaient pris position au centre du grand cercle. À présent, elles se tenaient face à face, chacune à un bout du long bâton de l'arbitre. Mus avait des cheveux brun terne enroulés en chignon serré sur le haut du crâne. Vulpina portait un casque lisse de secutor, avec les minuscules ouvertures rondes pour les yeux. Ses boucles de cheveux auburn cascadaient sous la bordure du casque rutilant.

1. Mot latin signifiant « maîtresse » ; expression polie pour s'adresser à une femme.

L'arbitre donna un vif coup de bâton sur le sable et recula d'un bond. C'était le signal pour l'assaut.

L'orgue aquatique joua une mélodie enlevée tandis que les deux jeunes gladiatrices, aux aguets, se tournaient autour.

Soudain, la petite Mus bondit en avant, en balançant son filet dans la main droite et en essayant de tenir Vulpina à distance avec le trident qu'elle tenait dans la main gauche. La foule acclama ce premier assaut. Flavia comprit que le trident, même s'il mesurait la moitié d'un trident normal, était bien trop lourd pour la petite fille. Les trois pointes n'arrêtaient pas de plonger. Une fois, elles faillirent toucher le sable.

Vulpina bondit à son tour et donna un coup d'épée. Elle manqua de peu la minuscule gladiatrice et la foule poussa un hoquet terrifié.

Lupus tira sur la couverture de Flavia. Elle l'ignora.

Pendant un moment, les deux gladiatrices s'observèrent. De temps en temps, l'une d'elles tentait une feinte, mais aucune n'avait encore fait couler le sang. La foule commençait à s'ennuyer et, dans les étages supérieurs, certains scandaient :

– Frappe-la, frappe-la, frappe-la…

L'orgue aquatique jouait un air angoissant.

Flavia s'aperçut que Vulpina fatiguait : ses mouvements étaient plus lents. Toutefois, Mus aussi commençait à manquer de forces. Brusquement, la petite fille tenta de lancer son filet, mais il s'emmêla dans les pointes de son trident.

Les doigts de Lupus s'enfoncèrent dans le bras de Flavia.

– Quoi ? dit-elle en s'arrachant au spectacle des deux filles en train de se battre.

Lupus pointait frénétiquement le doigt vers les autres enfants gladiateurs qui attendaient tranquillement leur tour.

– Quoi ?

Lupus désignait deux garçons qui tournaient le dos à la loge impériale.

Ils tenaient leur casque sous le bras droit et leur bouclier sous le gauche.

– Le garçon au bouclier jaune ? siffla Flavia.

Lupus secoua la tête.

– Celui d'à côté ? Avec les cheveux courts ?

Lupus l'approuva vigoureusement, puis se pencha devant elle et donna une petite tape à Nubia.

– Je ne le vois pas bien, dit Flavia. Qu'est-ce qu'il a ?

Une fois de plus, Lupus, surexcité, indiqua les deux garçons.

Soudain, Nubia sursauta. Lupus hocha furieusement la tête.

– Contemplez ! hoqueta Nubia en se levant. C'est Jonathan !

Où ça ? s'écria Flavia.
— Puis :
— Jonathan ? Comment Jonathan pourrait-il être un gladiateur ?

— Jonathan ? s'écria Sisyphe, en manquant de s'étrangler avec une gorgée de vin.

— Jonathan ? Qui est-ce ? demanda Julia en se redressant sur le trône d'ivoire de son père.

— C'est un ami à nous, expliqua Flavia. Mais je ne pense pas que ce soit lui… Si seulement il pouvait se retourner, que je voie son visage…

— Je crois que c'est lui, dit Nubia, le souffle court, et Lupus l'approuva avec force hochements de tête.

Flavia examina les deux garçons en plissant les yeux.

— Non. Ce garçon a les cheveux courts. Et il est plus grand que Jonathan. Et beaucoup plus mince. Jonathan s'était drôlement enrobé, le mois dernier, vous vous rappelez ?

Soudain, la foule rugit et Julia hurla.

Flavia et ses amis virent que la petite Mus gisait par terre dans le sable ; un geyser de sang jaillissait d'une coupure sur son bras. Ils étaient assez près pour voir qu'elle pleurait.

L'arbitre tendit son bâton entre les deux filles pour marquer une pause dans le combat, tandis qu'un homme en tunique bleue se précipitait vers la blessée. « Ce doit être le medicus », songea Flavia, car il bandait la blessure de la petite fille. Il lui chuchota quelque chose et, quand il s'éloigna, Mus leva son bras valide – le bras droit –, l'index tendu.

– Ça signifie qu'elle veut être épargnée, leur expliqua Sisyphe. Elle demande grâce... mais où est Titus pour la lui accorder ?

Dans tout l'amphithéâtre, les gens agitaient des mouchoirs blancs et levaient le pouce.

Le héraut s'avança.

– Le prix et la pénalité seront déterminés par César !

Il jeta un coup d'œil dans la loge puis, en voyant le haussement d'épaules exagéré de Julia, fronça les sourcils.

– Au moment qui... lui conviendra. Le prochain combat opposera Prométhée le Thrace et Hostis le murmillo.

– Par Pollux ! jura Flavia, en regardant de nouveau le garçon aux cheveux courts. Il vient d'enfiler son casque.

Elle se leva.

– JONATHAN ? hurla-t-elle. C'est toi ?

Dans la loge, tout le monde se tourna vers elle, mais sur le sable, en bas, le Thrace ne réagit pas. Il avait planté sa jambe gauche en avant, dressé son bouclier et baissé la tête. Flavia, abattue, se laissa retomber sur son siège. Elle avait un peu la nausée.

– La position d'attaque classique des Thraces, murmura Sisyphe. Qui que ce soit, ce garçon sait ce qu'il fait.

L'orgue aquatique joua un premier accord dès que l'arbitre eut donné une tape dans le sable. Le combat commençait.

Les deux garçons armés se tournèrent autour.

– Il ne bouge pas comme Jonathan, fit remarquer Flavia au bout d'un moment.

– Avec ces hautes jambières matelassées, n'importe qui aurait des mouvements raides, répliqua Sisyphe.

Lupus l'approuva d'un hochement de tête.

– Leurs casques leur font des yeux d'insectes, commenta Nubia. Et les plumes ressemblent à…

– Des antennes, murmura Flavia, sans détacher les yeux des deux combattants. Des antennes pointées vers l'arrière…

Soudain, Lupus grogna, tapota vivement son épaule gauche, puis indiqua le jeune gladiateur.

– Oui ! s'écria Nubia. Il est marqué au fer rouge, comme Jonathan !

Flavia plissa les yeux.

– C'est une marque au fer rouge ou juste une blessure ? Comment s'appelle-t-il, déjà ?

Lupus examina son libellus – la plaquette qui présentait les gladiateurs – et, tout excité, désigna un nom sur la feuille.

Sous le titre GLADIATEURS FANTAISISTES, une liste de noms était inscrite. Flavia hoqueta en voyant le dernier nom de la liste.

Prométhée.

Elle se laissa retomber lourdement sur son siège et fixa les gladiateurs en plein combat.

– « Quand un Prométhée ouvrira une boîte de Pandore, Rome sera dévastée… » murmura-t-elle, et elle répéta ce qu'elle avait dit devant la tombe de Jonathan : J'aurais dû savoir que la prophétie parlait d'un feu !

Elle repensa au moment où Lupus avait apporté les bagues calcinées de Jonathan. Il était accompagné par l'astrologue de Titus, Ascletario. L'Égyptien avait dit… Quels étaient les mots exacts qu'il avait employés ? « D'après la rumeur, c'est un jeune garçon qui a mis le feu au temple de Jupiter. Un jeune garçon aux cheveux noirs et bouclés, avec des bleus sur le visage. »

Flavia avait supposé que Jonathan avait tenté d'arrêter le Prométhée, et qu'il était mort dans l'entreprise. Mais si ce jeune gladiateur était bien Jonathan, et s'il se faisait appeler Prométhée…

Elle frissonna et, les yeux dans le vague, fouilla le passé en quête d'indices.

– Jonathan, souffla-t-elle finalement, est-ce que c'était *toi* ? Est-ce que c'est toi qui as allumé l'incendie ?

Nubia lui tapotait le bras. Flavia regarda son amie.

– Quand Titus reviendra, faut-il lui dire que ce garçon est peut-être Jonathan ? lui demanda Nubia.

– Non ! Quoi que tu fasses, siffla-t-elle, ne le dis pas à Titus. Si ce garçon est bien Jonathan, alors je pense… je pense que c'est peut-être lui qui a allumé l'incendie, tout compte fait.

Nubia, Lupus et Sisyphe braquèrent en même temps sur elle un regard stupéfait.

– Je n'en suis pas sûre, ajouta-t-elle hâtivement. C'était peut-être un accident et… Je ne sais pas ! Nous devons lui parler.

– S'il survit, dit Nubia, le doigt pointé vers l'arène.

Ira tremblait.

Quand il avait enfilé son casque, il avait entendu quelqu'un crier son ancien nom.

La voix ressemblait à celle d'une amie. Sa vie d'avant l'avait-elle finalement rattrapé ? Ou bien avait-il rêvé ? Ou était-ce une étrange prémonition de sa mort ?

Jusque-là, il était parfaitement calme et préparé. Même pour la mort.

Mais la voix de cette fille qui l'appelait avait fait remonter des souvenirs. Une foule d'émotions et d'images, qui tentaient d'enfoncer une porte dans son esprit. Il devait garder cette porte fermée. Il ne pouvait pas se permettre de laisser affluer les sentiments. Ils le rendaient faible.

Tous sauf un. La colère.

La colère lui donnait des forces. Dans la colère, sa poitrine se dénouait et il n'avait plus de mal à respirer. Il avait choisi le nom d'Ira, qui signifiait « colère », pour compléter son nom d'arène. En cet instant, il avait besoin de cette colère.

Et s'il ne la retrouvait pas très vite, son adversaire gagnerait.

ROULEAU XXVI

I ra le Thrace respirait avec peine. Toute la colère qu'il avait soigneusement emmagasinée avait disparu avec un seul mot : son ancien nom.

Son adversaire lui asséna un coup de son lourd bouclier de murmillo et Ira parvint tout juste à lever *in extremis* sa petite parma[1] pour bloquer un coup d'épée. Hostis le heurta encore et Ira faillit tomber à la renverse sur le sable. Il avait beau porter un casque rembourré, il entendit les huées de la foule.

Enfin de quoi alimenter sa colère !

Le nœud dans sa poitrine se desserra et il retrouva son souffle. Lorsque Hostis repartit à l'assaut, Ira dégagea la lame incurvée de sa sica[2] de la protection de son bouclier. Hostis grimaça quand la pointe acérée mordit dans la peau tendre sous son bras gauche.

Par-dessus le bruit amplifié de sa propre respiration, Ira entendit la foule hurler :

1. Petit bouclier carré utilisé par le gladiateur de type « Thrace ».
2. Petit poignard en forme de faucille utilisé au Ier siècle par les tueurs à gages juifs, appelés sicaires.

– *Habet*[1] !

Son adversaire répliqua par un coup bas avec son épée, mais le molleton de ses cuissardes protégea Ira et il donna un nouveau coup. Hostis brandit son bouclier pour se protéger et l'épée incurvée d'Ira, en dérapant sur l'ombon métallique du grand bouclier du murmillo, fit des étincelles. Sous le choc du métal contre métal, Ira sentit des vibrations dans tout son corps.

Rotundus les avait prévenus que parfois, dans le feu de l'action, on ne remarquait pas ses blessures. Mais Ira sentit une douleur déchirante quand l'épée de son adversaire trancha dans la chair de son épaule gauche.

– *Habet !* cria la foule.

La douleur attisa sa rage.

La colère montait et Ira imagina qu'Hostis était son pire ennemi, l'homme qu'il haïssait le plus au monde. L'empereur Titus.

– Que se passe-t-il ? demanda Titus, en arrivant d'un pas lourd en haut des marches de la loge impériale.

Lupus se retourna un instant, puis se concentra de nouveau sur le combat.

---

1. Mot latin signifiant « Il a ! ». Le peuple hurlait ce mot quand un gladiateur recevait un coup ; il criait également « *Hoc habet !* » : « Il l'a » (le coup ou la blessure).

– César ! s'exclama Calvus en s'avançant. Vous arrivez juste à temps. Le premier combat est terminé et il semblerait que le deuxième aussi approche de sa fin. Vite ! Venez vous asseoir !

Julia soupira et libéra le siège de son père. Quand Titus se réinstalla sur son trône, Lupus entendit Calvus souffler tout bas :

– Vulpina la secutrix a vaincu Mus la retiaria, mais elle s'est battue courageusement, cette petite. Le peuple veut qu'on l'épargne.

– Bien sûr que nous allons l'épargner ! grommela Titus, les dents serrées. Faire combattre des enfants… c'est monstrueux. Monstrueux ! Que se passe-t-il, à présent ?

– Le Thrace s'appelle Prométhée et le murmillo, Hostis. Ils ont tous les deux été touchés.

Ira bondit en avant, en poussant un cri qui résonna sous la cloche métallique de son casque et, pendant un instant, le rendit sourd. Hostis prit une position défensive, le bouclier levé, prêt à amortir le choc. Mais il n'arriva jamais. Au dernier moment, Ira s'arrêta, fit une feinte à droite puis un écart vers la gauche, et abattit brutalement la bordure inférieure de son petit bouclier sur le poignet droit du murmillo.

Hostis hurla et lâcha son épée. Momentanément sans défense, il essaya de se servir de son bouclier comme d'une arme. Mais c'était une grande plaque lourde et, quand Hostis en pointa le bord inférieur vers l'avant, Ira l'évita facilement.

Déséquilibré par son coup raté, Hostis chancela.

À cet instant, Ira tendit le pied gauche : sa lourde jambière heurta Hostis derrière le genou et le murmillo s'effondra.

Sous les acclamations de la foule, Ira écarta d'un coup de pied le bouclier de son adversaire et lui appuya lourdement le pied sur la poitrine.

Le bâton de l'arbitre s'interposa immédiatement, mais Ira se contrôlait. Il attendit calmement que l'arbitre déclare :

– Prométhée a gagné ce combat !

Alors il ôta son pied et retira son casque, les mains tremblantes.

La tête nue, il avait soudain l'impression que le monde était immense, lumineux et frais. Il entendit les cris de la foule et faillit sourire. Sa colère s'était dissipée, remplacée par le soulagement. C'était fini. Il avait gagné.

L'arbitre avait enlevé son casque à Hostis et Jonathan vit son camarade de caserne étendu sur le sable : ce n'était plus un adversaire, mais juste un garçon terrifié.

Soudain, son soulagement disparut et son estomac se noua.

Et si l'empereur lui demandait d'exécuter Hostis ? Serait-il capable d'ôter la vie à son camarade ?

Lupus dut rassembler tout son sang-froid pour ne pas hurler de joie quand le jeune Thrace retira son casque.

C'était Jonathan !

Il en était certain. Il regarda ses amis et vit que sa certitude se reflétait sur leurs visages. Flavia et Nubia se serraient dans les bras l'une de l'autre et Sisyphe applaudissait avec enthousiasme.

Presque aussitôt, Flavia posa son index sur ses lèvres et leur adressa un bref avertissement en fronçant les sourcils. Dès qu'ils eurent hoché la tête, pour montrer qu'ils avaient compris, Flavia se détendit et afficha de nouveau un sourire ravi.

Mais soudain, Lupus eut une pensée terrible. Et si Titus reconnaissait Jonathan ? Même si leur ami n'avait pas allumé l'incendie, l'empereur avait entendu la rumeur, comme tout le monde. Et s'il faisait le rapprochement...

L'empereur s'était levé et regardait l'arène d'un air furieux.

Lupus retint son souffle.

— Renvoyez-les ! ordonna Titus.

— Mais César... ! protesta Calvus. Vous n'avez pas attribué les palmes et les couronnes ! Et trois des duos n'ont pas encore combattu !

– Faites-les sortir de l'arène! répéta Titus, les dents serrées. Je ne tolérerai pas cette mascarade.

Quand les enfants gladiateurs quittèrent la piste d'un pas martial, la foule poussa des cris de protestation et d'approbation mêlés.

Lupus se rassit et poussa un énorme soupir de soulagement.

En entendant l'éclat joyeux des trompettes et le crescendo de l'orgue aquatique, Nubia sentit son cœur déborder de joie. La musique s'accordait profondément avec ce qu'elle éprouvait.

Jonathan était vivant. Vivant!

Parfaitement immobile et retranchée en elle-même, les yeux fixés sur l'immense arène, Nubia avait la vision déformée par des larmes de bonheur. Les enfants gladiateurs avaient quitté la piste – tous en état de marcher – et des esclaves avaient ratissé le sable pour le nettoyer.

Soudain, Nubia sursauta: un arc-en-ciel scintilla dans le grand espace devant elle. Depuis le sommet de l'amphithéâtre, on vaporisait la foule d'une fine brume parfumée. Nubia renifla: c'était une senteur délicieuse.

– Safran, murmura Flavia, à côté d'elle, et elle tendit la main hors de la loge pour sentir les gouttelettes.

Une lumière rose colora brusquement son bras et sa tunique, ainsi que tous les spectateurs assis aux premiers rangs de la loge impériale. Nubia leva la tête. Les vela[1] en toile rouge se déroulaient tout là-haut, au-dessus d'eux.

– Oooh ! C'est sublime, non ? s'exclama Sisyphe en se perchant à côté d'elle sur le divan en velours, une coupe d'argent à la main. Lumière rubis, parfum exotique, vin frais…

Il baissa la voix et ajouta dans un murmure :

– Et Jonathan ressuscité ! La vie est belle !

Un moment plus tard, l'arène se remplit de cris et de hurlements quand un essaim de balles de loterie rouges arrosa les étages du milieu.

À cet instant, Nubia sut ce qu'elle pouvait faire. Elle sortit sa bourse de cuir.

La balle de loterie s'y trouvait-elle toujours ? Oui ! Les doigts tremblants, elle dénoua le lacet de cuir et sortit sa balle rouge.

– Oh ! hoqueta Julia. Tu as gagné une balle de loterie !

– Nubia ! s'écria Sisyphe d'un ton blessé. Pourquoi ne me l'avais-tu pas dit ?

– J'ai oublié, répondit Nubia en dévissant la balle et en sortant le carré de parchemin. César, hier, j'ai gagné un gladiateur.

Titus se tourna vers elle, surpris, et haussa les sourcils.

1. Stores ou voiles ; d'immenses vela étaient tendus sur des poteaux au-dessus du Colisée, pour fournir de l'ombre aux spectateurs.

– Un gladiateur ?

– Oui, César.

Titus se pencha vers elle, tendit son bras musclé et prit le parchemin. Il l'examina un moment, recto et verso.

Nubia inspira profondément.

– Puis-je choisir n'importe quel gladiateur dès maintenant ?

Elle entendait à peine sa voix par-dessus les battements furieux de son cœur.

– Je ne vois pas de raison pour te dire non.

Titus jeta un regard amusé à Nubia.

– Il y en a un qui te plaît ?

– Oui. J'aimerais en libérer un.

– Étrange requête. D'habitude, les gens les louent au lanista ou les emploient comme gardes du corps. Et toi, tu veux juste en libérer un ?

– Oui, César. Puis-je choisir maintenant ?

– Pardon ? Tu me demandes si tu peux…

Nubia vit les lèvres de Titus remuer, mais n'entendit pas ses paroles.

Un rugissement si énorme qu'il couvrait même les trompettes emplit l'amphithéâtre. L'événement principal de la journée commençait : les vrais gladiateurs pénétraient dans l'arène.

Ils étaient une trentaine, précédés par des dignitaires et des musiciens, et suivis par des esclaves et des assistants qui transportaient leurs armes. L'homme

213

qui fermait la marche brandissait une banderole affichant : LVDVS IVLIANVS.

– Nubia ! s'étrangla Sisyphe, les yeux écarquillés. C'est le Ludus Julianus !

Nubia le regarda sans comprendre.

– Sauf erreur de ma part, le Ludus Julianus est l'école fondée par Jules César, intervint Titus.

– C'est exact, César, confirma Sisyphe, et il jeta un regard entendu à Nubia : C'est l'école de gladiateurs qui se trouve à Capoue !

Nubia, étourdie, porta machinalement la main à sa gorge. Capoue ! Les gladiateurs qui s'avançaient dans l'arène venaient de Capoue… L'endroit où son frère Taharqo s'entraînait pour devenir gladiateur.

Nubia se leva en chancelant et parcourut les hommes vigoureux du regard tandis qu'ils commençaient leur échauffement, sur le sable teinté en rose par les stores.

Elle le vit presque aussitôt. Mince et musclé, avec un beau visage et une toison de cheveux noirs. Et une peau du même brun foncé que la sienne.

– Contemplez, chuchota Nubia, partagée entre le rire et les larmes. C'est mon frère Taharqo !

— Taharqo, répéta Nubia, qui ne reconnaissait plus sa propre voix. C'est Taharqo !

— Qui ? demanda Titus. Pantherus le Nubien ?

— C'est Taharqo. Son frère ! hoqueta Flavia. Je savais bien qu'il serait là !

L'empereur tourna de grands yeux vers Nubia.

— Pantherus est ton frère ?

Nubia avait la gorge sèche et la tête qui tournait, mais elle parvint à acquiescer.

— Il est très beau, souffla Julia.

— Un superbe spécimen, l'approuva son mari.

— Mauvaise nouvelle, annonça Titus en consultant son programme. Il doit combattre Sextus.

— *Le* Sextus ? questionna le mari de Julia.

— J'en ai bien peur, confirma Titus.

— C'est mauvais ? interrogea Flavia.

— Savez-vous pourquoi on l'appelle Sextus ? lança Titus.

Tous secouèrent la tête.

— On l'appelle Sextus parce qu'il mesure six pieds de haut et qu'il a six doigts à chaque main !

Lupus consulta son libellus puis redressa la tête, affolé. Il leva neuf doigts.

– Il a neuf doigts à une main ? demanda Nubia.

– Non, répondit Titus, la mine sombre. Il a gagné ses neuf derniers combats sans exception.

– Et maintenant, notre dernier duel de la journée, annonça le héraut. Sextus le secutor, qui a remporté neuf palmes et cinq couronnes, contre Pantherus le retiarius, un tiro[1], pour son premier combat !

Lupus vit l'arbitre lever son bâton, puis l'abattre vivement pour frapper le sable.

Quand les deux hommes commencèrent à se tourner autour, la foule se tut et l'orgue aquatique se mit à jouer. Lupus se pencha en avant et appuya les avant-bras sur la balustrade en marbre. Découvrir que Jonathan était vivant avait libéré son cœur d'un poids énorme. Il était certain qu'ils trouveraient un moyen de le ramener à la maison. En attendant, il était assis à une place idéale. Il voyait les combattants dans le moindre détail. Il pouvait se détendre et profiter de ce spectacle comme des précédents.

Les deux hommes étaient pieds nus ; Lupus éprouva un frisson de dégoût quand il vit le secutor

_____

1. Gladiateur novice qui ne s'est jamais battu dans l'arène ou qui combat pour la première fois.

avancer son pied à six orteils dans le sable. Sextus avait des protections sur le bras droit et la jambe gauche, et portait le casque caractéristique des secutori. Lupus avait vu des secutori sur des croquis grossiers griffonnés sur des murs mais, jusqu'à ce jour, il n'en avait jamais vu en vrai. L'étrange casque lisse du secutor, avec ses petites ouvertures rondes pour les yeux, le faisait paraître inhumain ; il ressemblait encore davantage à un poisson qu'à un insecte.

Titus se pencha en avant et Lupus le vit jeter un coup d'œil vers Nubia.

– Le casque est lisse pour que le filet et le trident glissent dessus. Mais si le retiarius trouve le bon angle et y met la force nécessaire… J'ai déjà vu un trident traverser un casque de ce genre. Cela dit, ton frère fait exactement ce qu'il est censé faire en début de combat. Il porte le trident dans la main gauche et il maintient le secutor à distance. S'il est bon, il va fatiguer son adversaire, puis jeter son filet dans un mouvement circulaire – tu peux voir les petits poids en plomb – pour lui emmêler les pieds. Ensuite, il donne un coup sec et il fait tomber son rival. Par les dieux, il est superbe !… murmura Titus, presque pour lui-même.

Lupus hocha lentement la tête. Taharqo était superbe, en effet. Il était souple et musclé, et il avait la peau huilée, tellement bien lustrée qu'elle brillait comme de l'ébène. Il portait un pagne blanc et une protection sur le bras gauche. Sa ceinture et ses épaulettes, illuminées par un rayon de soleil qui avait filtré entre deux vela, jetèrent des éclats. Elles ressemblaient à de l'or, mais Lupus devina qu'elles étaient en bronze poli. Il savait que l'or est bien trop lourd et trop malléable pour composer une armure efficace.

Taharqo se déplaçait avec légèreté et, alors que l'orgue aquatique et les trompettes jouaient un air tragique, il improvisa quelques pas de danse. La foule éclata de rire quand Sextus, entraîné par son grand bouclier pesant, posa lourdement le pied en avant.

Taharqo glissa derrière lui et Sextus dut faire pivoter tout son corps pour retrouver son adversaire.

– J'ai essayé un casque de secutor, un jour, dit Sabinus, assis à côté de Julia. Les trous pour les yeux sont tellement petits que tu ne peux voir que droit devant toi. Et au bout d'un moment, ton propre souffle commence à te dessécher les yeux. J'ai détesté ce casque.

– Ha !

Titus pointa le doigt en riant, puis se radossa au fond de son siège.

Taharqo avait fait une feinte à droite, puis valsé à gauche, en faisant tournoyer le filet au-dessus de sa tête. La foule applaudissait, hilare. Taharqo transformait le combat en numéro comique ; l'organiste suivit son exemple et la musique se fit plus guillerette.

Lupus voyait la poitrine musclée du secutor monter et redescendre. L'homme était en colère, ou fatigué. Ou les deux. Mais il avait gagné neuf combats contre des retiarii. Il ne fallait pas que Taharqo baisse la garde.

Sans cesser de danser autour de Sextus, le jeune retiarius fit passer son filet sur la gauche et son trident sur la droite. Il était à une distance raisonnable du secutor ; il se mit à parader pour la foule. Il planta le manche de son trident dans le sable et s'appuya dessus comme un vieillard, le dos courbé, pour avancer lentement en boitillant. La foule s'esclaffa et l'organiste joua le jeu en entonnant la mélodie habituellement réservée au vieux père, au théâtre.

Mais Lupus craignait que les fanfaronnades de Taharqo n'amusent pas le public très longtemps. Ils voulaient voir du contact. Ils voulaient voir du sang. Lupus le savait car il éprouvait la même chose. Il voulait voir jaillir un réjouissant jet rouge.

Taharqo dut percevoir l'humeur de la foule, car à cet instant, il avança puis retira vivement son trident, avec la rapidité d'une langue de caméléon. Lupus crut d'abord qu'il avait raté son coup. Mais ensuite, il vit le sang couler de la cuisse sans protection de Sextus.

À la première vue du sang, Lupus hurla. La foule rugit avec lui et l'orgue aquatique joua un accord triomphal.

Sextus se tourna lourdement, mais Taharqo fila derrière lui avec légèreté, ramenant le trident dans sa main gauche et le filet dans la droite.

Soudain, dans un mouvement d'une rapidité effarante, le secutor se baissa puis se tourna en soulevant son lourd bouclier dans un arc fluide.

Taharqo leva son trident pour riposter, mais le bouclier retomba dessus avec une telle force qu'il le brisa en deux. La partie terminée par les pointes tomba à l'intérieur du cercle et le reste du manche à l'extérieur. Une expression de surprise avait à peine eu le temps de se former sur le beau visage de Taharqo que Sextus bondit en avant et, rapide comme l'éclair, tendit sa courte épée vers le ventre du jeune tiro.

La foule émit un hoquet terrifié et Taharqo bondit en arrière, mais on entendit le fracas du métal contre le métal.

La musique s'intensifia dans une envolée dramatique.

À côté de Lupus, Titus claquait la langue et secouait la tête.

– Pantherus a eu beaucoup de chance, déclarat-il. Sa ceinture l'a protégé. Si ce coup avait été porté deux centimètres plus haut, ses entrailles seraient en train de se déverser sur le sable.

— Et en regardant son visage, on voyait bien qu'il était surpris, ajouta le mari de Julia. C'est l'un des trucs les plus simples pour repérer un novice. Les gladiateurs expérimentés ne révèlent jamais leurs émotions.

L'orgue aquatique émit un autre accord inquiétant, accompagné par une vive inspiration dans tout l'amphithéâtre. Sextus avait donné un nouveau coup d'épée.

Taharqo s'effondra sur le sable, dans une flaque de sang.

Nubia ne voulait pas regarder le sang qui coulait du flanc de son frère, mais elle ne pouvait pas se détourner. C'était son frère. Elle ne pouvait pas se cacher la figure dans les mains, cette fois-ci.

– Ne t'inquiète pas, dit Flavia, à côté d'elle. Je crois que c'est juste une blessure superficielle.

– Ce n'est pas trop grave, confirma Titus, sans détacher les yeux de l'arène.

À présent, la musique était basse, insistante. Taharqo s'était relevé ; méfiant désormais, il ne faisait plus le clown pour la foule. Il avait encore son filet et son poignard, et il avait récupéré la partie supérieure de son trident. Mais avec tout ça, il n'avait plus de quoi se défendre correctement.

Sextus et lui se tournèrent autour. Ils avaient saigné tous les deux et transpiraient tous les deux, fatigués. Hors du cercle, l'arbitre tournait également, aussi concentré que les combattants.

Puis Taharqo passa à l'attaque. Il leva la main droite et le filet vola au-dessus du sable dans une

courbe fluide, au ras du sol. Sextus recula en trébuchant. Mais Taharqo s'avança encore d'un pas et
rabattit le filet vers la droite. Nubia vit les minuscules poids en plomb s'enrouler autour des deux
chevilles de Sextus.

Taharqo donna un coup sec et Sextus tomba en
arrière, atterrissant lourdement sur le sable. Nubia
entendit son grognement étouffé malgré la clameur
de la foule.

– Parfait ! s'écria Titus, et il donna un petit coup
de poing sur la balustrade en marbre.

Taharqo avait déjà lâché son filet et couru poser
son pied nu sur le bras avec lequel Sextus tenait son
épée, qui tomba sur le sable.

– Donne un coup de pied dedans pour l'éloigner ! hurla Titus.

Mais Taharqo ne suivit pas le conseil de l'empereur. Il glissa son poignard dans sa ceinture et se baissa
pour ramasser l'épée du secutor. À cet instant, Sextus
plia l'autre bras et cogna son bouclier contre Taharqo,
qui s'effondra si violemment que l'épée lui échappa ;
après un vol plané, elle atterrit hors du cercle.

Le peuple cria de joie et Titus se tourna vers ses
jeunes invités, l'air animé.

– L'épée est tombée à l'extérieur du cercle, alors
elle est hors jeu.

À présent, Sextus s'était relevé et Taharqo était
à terre, mais le secutor avait toujours les pieds

emmêlés dans le filet. Quand Sextus leva son lourd bouclier pour frapper son adversaire à la gorge, Taharqo saisit un coin du filet.

Et donna un coup sec.

Sextus s'effondra. Taharqo se releva, attrapa le bouclier de son adversaire et le tordit. Malgré le rugissement de la foule et l'orgue aquatique, Nubia entendit un affreux craquement. Le secutor avait le bras cassé et son lourd bouclier n'était plus un moyen de défense, mais un poids douloureux.

Taharqo récupéra son trident brisé et parada autour de Sextus avec un sourire éclatant. La volée d'acclamations qui retentit dans l'amphithéâtre couvrit l'air triomphal de l'orgue aquatique.

– Pantherus ! Pantherus ! scandait le peuple.

Nubia entendit Sisyphe marmonner :

– Ne deviens pas orgueilleux, mon cher garçon, ce n'est pas encore fini…

À cet instant précis, Sextus se tourna sur le côté et tendit sa terrible main à six doigts pour attraper la cheville de Taharqo et le faire tomber. Mais le Nubien devait s'y attendre. Rapide comme l'éclair, il planta son trident dans le sable pour immobiliser le poignet du secutor.

Du sang jaillit et Nubia entendit le hurlement de douleur du secutor malgré le casque étroit et lisse qui lui couvrait la tête. Taharqo étouffa ce cri terrible en posant son pied bronzé sur le cou pâle de cet homme massif.

– *Habet, habet !* s'écria la foule. Il a son compte !

L'arbitre s'avança. Il toucha légèrement le pied de Taharqo avec son bâton et marmonna quelque chose. Taharqo hocha la tête et Nubia le vit décoller le pied du cou du secutor.

– Je déclare Pantherus victorieux ! lança l'arbitre. Il remporte la palme de la victoire...

Là, il regarda Titus, qui hocha la tête.

– ... et la couronne !

Et l'arbitre enchaîna :

– Je déclare Sextus le perdant. Mérite-t-il la mort ou une *missio*[1] ?

Nubia vit Titus se lever. Il regarda les sénateurs assis à sa gauche et à sa droite, les vestales, en face, et le peuple au-dessus de lui. Quelques personnes agitaient des mouchoirs, mais la plupart avaient baissé le pouce et criaient :

– *Iugula*[2] ! Qu'on lui tranche la gorge !

Titus se tourna vers Calvus.

Nubia ne l'entendit pas clairement, mais il lui sembla que l'empereur disait :

– Sextus s'est bien battu. Dois-je faire ce que le peuple réclame ?

1. En latin, « Je libère ». Grâce accordée à un gladiateur vaincu dont on épargne la vie.
2. La veine jugulaire, une veine importante dans le cou ; le public de l'amphithéâtre criait cela quand il voulait que le gladiateur victorieux tranche la gorge de son adversaire vaincu.

Calvus hocha la tête et répondit quelque chose avec un air désolé.

Nubia vit l'empereur hausser les épaules, puis les laisser retomber dans un profond soupir. Mais il tendit la main et tourna lentement le pouce vers le sol.

Il y eut une acclamation de tonnerre qui s'estompa rapidement pour laisser place à quelques applaudissements disséminés.

Puis le silence retomba dans l'amphithéâtre ; les gens retenaient leur souffle. C'était un moment sacré. Le Nubien victorieux devait trancher la gorge de son compagnon, un homme avec lequel il s'était entraîné, avec lequel il avait ri et pris ses repas. Un homme de sa *familia*.

Le lanista s'avança et ôta délicatement le casque serré du secutor. Puis il glissa quelques mots à Sextus, qui hocha la tête. Nubia savait que, même si le secutor avait le bras cassé et saignait en trois endroits, aucune de ses blessures n'était fatale. Il devait malgré tout présenter courageusement sa gorge.

Le lanista jeta de côté le bouclier de Sextus et l'aida à s'agenouiller sur le sable. Puis il tendit une courte épée à Taharqo et recula. Le dernier acte devait se dérouler entre le vainqueur et le vaincu.

— C'est ça que les Romains viennent voir, murmura Titus d'une voix si basse que Nubia l'entendit à peine. La mort exemplaire d'un homme courageux.

Il était impossible que Sextus l'ait entendu ; pourtant, à cet instant, il releva lentement la tête et regarda l'empereur. Titus lui sourit et lui adressa un signe de tête si imperceptible que Nubia ne l'aurait jamais vu depuis le dernier étage.

Le gladiateur vaincu se détourna de l'empereur pour faire face à Taharqo, et Nubia ne lut aucune peur dans ses yeux avant qu'il les ferme. D'un geste vif, sans hésitation, Taharqo plongea son épée dans le creux de la gorge de Sextus et l'enfonça vers le cœur. Une fontaine de sang l'éclaboussa. Nubia plaqua ses mains glacées sur son visage brûlant.

Mais les acclamations de la foule et la musique enjouée de l'orgue aquatique se prolongèrent si longtemps qu'elle finit par relever la tête.

Son frère et les autres gladiateurs victorieux effectuaient leur tour d'honneur en courant autour de l'arène. Comme les autres, Taharqo brandissait la palme dans la main droite et une bourse d'argent dans la gauche. Et, comme les autres, il arborait une expression de joie triomphale.

– Alors, Nubia ? demanda l'empereur Titus, avec un grand sourire, en se radossant au fond de son siège d'ivoire. Je suppose que c'est Pantherus, le gladiateur que tu aimerais que je libère ? Quel dommage pour nous autres ! Il a fait preuve d'un talent prometteur.

227

Nubia le considéra d'un air hébété.

– Oui... Non. Je ne sais pas, murmura-t-elle.

Le sourire de Titus s'estompa et il haussa les sourcils.

– Quoi ? Mais je croyais que c'était pour ton frère, tout ça ! C'est forcément lui que tu avais en tête quand tu m'as demandé si tu pouvais libérer n'importe quel gladiateur de ton choix, non ?

– Je... Je ne sais pas, César, bafouilla Nubia.

Elle avait envie de pleurer. Elle ne pouvait pas les libérer tous les deux. Seulement un. Ou Taharqo, ou Jonathan. Son frère ou son ami.

– Eh bien, tu n'es pas obligée de prendre ta décision immédiatement. Tu n'as qu'à te rendre sur le mont Oppien après les jeux pour les examiner de plus près.

– Je... Est-ce qu'ils vont... Je...

– Dis oui ! lui souffla Flavia. Comme ça, au moins, nous pourrons leur parler.

– Oui, dit Nubia. Merci, César, merci.

Titus jeta un coup d'œil à l'un de ses gardes et l'homme hocha la tête.

– Fronto vous emmènera voir les gladiateurs ce soir, si vous voulez, proposa l'empereur en se levant. Tu pourras me donner ta réponse demain matin. J'espère que vous reviendrez vous joindre à nous pour le troisième jour de jeux, tes amis et toi. J'aimerais connaître la fin de ce petit drame !

Nubia, quel terrible dilemme ! frissonna Flavia.
– – C'est quoi, un dilemme ? demanda Nubia en décollant la tête de ses mains.

– Un dilemme est un choix difficile, expliqua Sisyphe.

Les jeux étaient terminés pour la journée et des flots de spectateurs quittaient l'amphithéâtre en conversant gaiement. Titus et son entourage s'étaient éclipsés par l'entrée privée quelques instants plus tôt. Les trois amis s'attardaient dans la loge impériale en compagnie de Sisyphe, essayant de décider quoi faire.

– Tu peux libérer Jonathan, reprit Flavia, ou libérer ton frère. Mais tu ne peux pas libérer les deux. Tu dois choisir.

Elle se sentit soudain épuisée, et elle remarqua que Nubia paraissait aussi malade qu'elle.

– Je sais, murmura Nubia. Et je ne sais pas qui je dois choisir.

Jonathan, avait écrit Lupus sur sa tablette de cire.

– Bien sûr qu'on voudrait que ce soit Jonathan, toi et moi! lui dit Flavia en resserrant la couverture bleue sur ses épaules. Mais c'est le frère de Nubia. Et c'est sa balle de loterie à elle. Alors c'est à Nubia de choisir.

Lupus se détourna, furieux. Flavia se demanda comment le réconforter; l'odeur écœurante du chèvrefeuille des guirlandes, au-dessus de leurs têtes, lui donnait la nausée.

– Flavia! s'écria Sisyphe. Tu te sens bien?

Elle fit signe que oui. Puis que non. Elle avait chaud. Tellement chaud qu'elle transpirait. D'un coup d'épaule, elle se débarrassa de la couverture et posa sa tête dans ses mains.

Un cliquetis se fit entendre: des pas se rapprochaient. Les bottes ferrées et les mollets musclés d'un soldat apparurent dans son champ de vision, encadrés par les losanges colorés de la mosaïque de marbre, sur le sol. Flavia se redressa. Le grand soldat au nez cassé se tenait devant leur divan.

– Je m'appelle Fronto, dit-il à Nubia. Je dois vous emmener partout où vous souhaiterez aller.

– Je... Je veux voir Jonathan et mon frère, bafouilla Nubia en regardant Flavia.

– Les enfants gladiateurs, dit Flavia au garde, et les gladiateurs du Ludus Julianus.

Elle se leva. Puis se rassit lourdement, car ses genoux chancelants ne pouvaient pas la porter.

Elle sentit la main fraîche de Sisyphe sur son front.

– Flavia ! Tu es brûlante ! Je dois te ramener à la maison.

– Non, Sisyphe, on doit accompagner Nubia et Lupus. On doit voir Jonathan.

Soudain, elle eut froid. Le parfum mielleux des fleurs lui remplit de nouveau la gorge. Elle cala sa tête entre ses genoux et inspira profondément.

– Pourrez-vous les raccompagner au mont Caelius quand vous les aurez emmenés voir les gladiateurs ? demanda Sisyphe.

– Quoi ?

Flavia leva la tête et vit qu'il s'adressait à Fronto.

– Bien sûr, dit le garde.

Malgré son nez cassé, il avait un grand visage avenant.

– Je prendrai soin d'eux, vous pouvez compter sur moi.

– Bien, répondit Sisyphe. Nous habitons sur le mont Caelius, au pied de l'aqueduc. La maison du sénateur Cornix. Porte bleu ciel. Heurtoir en bronze.

– Tu ne viens pas avec nous ? demanda Flavia à Sisyphe.

Il lui paraissait étrangement loin.

Sisyphe l'ignora.

– Et s'il vous plaît, reprit-il, pouvez-vous nous trouver une litière pour que je puisse reconduire cette jeune fille malade à la maison ?

– Mais je dois aller voir Jonathan… murmura Flavia en s'allongeant sur le divan impérial. J'ai juste besoin d'une petite sieste avant d'y aller.

– Nous sommes déjà venus ici !

Nubia s'arrêta et regarda autour d'elle, étonnée.

– L'année dernière. On se lançait cette balle triangulaire, pour jouer au trigon[1].

La douce lumière de la fin d'après-midi inondait les flancs du mont Oppien.

Lupus acquiesça d'un hochement de tête.

Sans ralentir l'allure, Fronto lança par-dessus son épaule :

– Nous allons à la Maison dorée. C'est là qu'est installée la nouvelle école de gladiateurs.

– La Maison dorée ! s'exclama Nubia. Mais… et les femmes de Jérusalem ? Celles qui tissent des tapis ?

Fronto haussa les épaules.

– Elles ont toutes déménagé après l'incendie, le mois dernier. Elles ont dû céder la place aux gladiateurs.

---

1. Jeu de ballon où trois joueurs se placent aux trois sommets d'un triangle imaginaire et se lancent un ballon le plus vite et le plus fort possible ; celui qui le laisse tomber a perdu.

Il leur fit franchir une porte dont Nubia ne se souvenait pas et les entraîna vers un escalier en plein air qu'elle avait déjà vu, en revanche.

– Tu te rappelles, on nous a emmenés au sommet de cette colline en litière, murmura Nubia à Lupus.

Il acquiesça et indiqua un paon qui se promenait parmi les buissons roses et rouges de rhododendrons en fleur.

Quand ils atteignirent les dernières marches, la Maison dorée apparut. Une longue rangée de colonnes dorées brillait dans le soleil déclinant et les bassins, qui réfléchissaient la lumière, semblaient remplis d'or fondu. Sur la droite, Nubia vit que des dizaines de pavillons avaient été érigés sur l'herbe verte. Des esclaves plantaient dans le sol des torches qu'ils pourraient allumer au crépuscule. Une banderole, droit devant eux, disait LVDVS AVREVS et une autre, un peu plus loin, indiquait LVDVS IVLIANVS. Elle vit aussi des panneaux qui affichaient LVDVS GALLICVS et LVDVS DACICVS.

Fronto les guida tout droit, entre deux bassins miroitants. Nubia vit qu'ils n'étaient plus occupés par des flamants et des hérons, et qu'on avait enlevé les nénuphars. Quand ils passèrent entre les piliers dorés de la colonnade, ils débarquèrent dans une grande cour. Nubia se rappelait l'avoir traversée en courant à la poursuite d'un assassin, six mois plus tôt. À l'époque, cette cour était gazonnée. Aujourd'hui, elle était recouverte de sable.

Quelques hommes se battaient sur le sable ; un autre frappait un poteau en bois avec son épée.

– La plupart des gladiateurs doivent être en train de dîner, dit leur guide. Par ici.

Fronto les conduisit dans une pièce voûtée, haute sous plafond, donnant sur la cour d'entraînement. Il faisait sombre, ici, mais des torches fixées au mur brûlaient et Nubia aperçut aussitôt trois longues tables. Les gladiateurs y étaient installés et mangeaient dans des bols d'argile rouge.

Lupus pointa le doigt et Nubia s'écria :

– Le voilà !

Le garçon qui se faisait appeler Prométhée dans l'arène était assis au bout d'une table, penché au-dessus de son bol, et ne parlait à personne parmi ses voisins.

Nubia courut vers lui.

– Jonathan ! Jonathan, tu es vivant !

Le garçon releva lentement la tête.

Nubia voulait le serrer dans ses bras, mais son expression glaciale l'immobilisa.

– Jonathan ? Qu'est-ce qui ne va pas ?

– Tu fais erreur, dit-il. Je ne m'appelle pas Jonathan. Je m'appelle Ira.

Nubia jeta un regard incertain à Lupus. Il avait l'air aussi ahuri qu'elle. Si seulement Flavia était là ! Elle aurait su quoi dire et quoi faire !

Tous les hommes attablés avaient cessé de manger et Nubia sentait les regards peser sur elle.

Un petit brun costaud entra dans la salle à manger.

– Qu'est-ce qui se passe, ici ? Ira, tu sais que je ne permets pas...

Il écarquilla les yeux quand le soldat de Titus s'avança en cliquetant.

– Fronto ! Qu'est-ce qui se passe ?

Fronto le rejoignit et lui marmonna quelque chose à l'oreille.

– Ah, d'accord. Allez-y, poursuivez, dit l'homme à Fronto.

Puis il se tourna vers Nubia.

– Je suis Rotundus, le lanista. N'hésitez pas à me poser des questions, si vous avez besoin de renseignements.

– J'aimerais parler à celui-ci, dit poliment Nubia.

Elle ne reconnaissait pas sa propre voix.

– Vas-y.

– Puis-je lui parler en privé ?

Il acquiesça.

– Emmène-les dans ta chambre, Ira.

La chaise du garçon grinça sur le sol quand il se leva.

– Venez, alors.

Il avait parlé d'un ton sec et sortit de la haute salle voûtée sans les regarder.

Nubia et Lupus suivirent Ira hors du réfectoire et traversèrent à sa suite la cour d'entraînement. Le soleil était passé derrière les arbres et jetait de longues ombres bleues sur la pelouse en pente. Le sable qui glissait entre les orteils de Nubia, dans ses sandales, était frais et doux. Étonné, l'homme qui s'exerçait en frappant le poteau s'interrompit pour les regarder passer.

– Laisse souffler le pauvre palus[1], Attius ! lança Ira sans le regarder.

Attius s'esclaffa et reprit son exercice.

Nubia observait Ira. Il semblait chez lui, parfaitement à son aise dans ce curieux univers d'hommes et d'armes. Il ressemblait à Jonathan. Et en même temps, il ne lui ressemblait pas du tout.

Ils le suivirent dans une autre pièce voûtée, dont les murs et le plafond étaient richement décorés de fresques en bleu, noir, jaune et rouge cinabre. Mais

---

1. Poteau en bois utilisé par les gladiateurs pour s'entraîner.

le mobilier était spartiate : huit lits simples avec une table à leur tête et une petite commode à leur pied.

Ira s'assit sur un lit et fit signe aux autres de l'imiter. Nubia s'assit sur celui d'à côté, mais Lupus resta debout.

– Pourquoi êtes-vous ici ? demanda Ira d'un ton indifférent.

Nubia jeta un coup d'œil à Lupus et déglutit.

– On te croyait mort, murmura-t-elle. Et tu nous manquais terriblement. Surtout à Tigris. Alors quand nous avons appris que tu étais peut-être en vie, d'après la rumeur, nous sommes tous venus à ta recherche. Jonathan...

– Ne m'appelle pas comme ça ! coupa-t-il. Mon nom, c'est Ira. Jonathan est mort.

Nubia le considéra avec stupeur. Faisaient-ils erreur ? Ce garçon n'était-il pas Jonathan ?

– Ira, reprit-elle, hésitante. Aujourd'hui, Flavia a failli être dévorée par des hippopotames, des crocodiles et des ours ; Lupus est devenu un mouchard ; et moi, je suis descendue dans l'arène depuis le toit de l'amphithéâtre. Alors s'il te plaît, dis-nous comment Jonathan est mort !

Surpris, il haussa les sourcils et cette fois, Nubia vit une brève lueur d'amusement dans ses yeux. À présent, elle savait que c'était bien Jonathan.

Il dut voir la certitude dans son regard, car il baissa la tête.

– Jonathan s'est jeté du haut de la roche Tarpéienne[1]. Ou peut-être qu'il est mort d'une crise d'asthme pendant qu'il suivait l'entraînement de gladiateur. Je ne sais pas. Mais il est mort.

Il y eut un silence. Nubia jeta un coup d'œil à Lupus, qui regardait Jonathan avec de grands yeux blessés.

– Jona… Ira, dit doucement Nubia. Nous savons ce que tu as fait le mois dernier. C'était un accident, n'est-ce pas ?

Il leva vivement la tête et Nubia vit qu'elle avait enfoncé une barrière, en disant cela. Une lueur d'espoir illuminait les yeux d'Ira.

– Jonathan, insista Nubia, ça n'a pas d'importance, si tu as allumé l'incendie. Tu ne veux pas être libre ? Tu ne veux pas rentrer à la maison ?

Quand elle prononça le mot « maison », Nubia crut voir l'espoir qui brillait dans les yeux d'Ira s'éteindre comme une braise dans la neige.

Il se leva et la regarda de haut.

– Je t'ai dit que Jonathan était mort, répétat-il d'une voix redevenue glaciale. Maintenant, allez-vous-en.

Nubia se sentait tout engourdie. Lupus et elle suivaient Fronto dans la colonnade de la Maison

1. Nom donné à une crête rocheuse du Capitole ; c'est du haut de cette falaise que l'on précipitait les traîtres et les criminels.

dorée. Sur sa droite, derrière la masse sombre de l'amphithéâtre, le soleil rouge vif semblait couler plutôt que descendre, comme du sang dégoulinant sur l'horizon.

Peu après, des cordes leur bloquèrent le passage et ils virent qu'on avait disposé des divans entre les colonnes dorées et les bassins miroitants, devant eux.

Des dizaines d'hommes musclés étaient étendus sur les divans. Ils portaient tous une tunique crème avec une sombre rayure verticale qui descendait de chaque épaule jusqu'en bas. Ils étaient lavés et parfumés et leurs corps musclés, huilés, brillaient comme de l'ivoire, du chêne, de l'acajou et de l'ébène. De jeunes esclaves aux cheveux longs les servaient et, derrière la barrière formée par les bassins, des dizaines d'hommes et de femmes les contemplaient.

Les gladiateurs mangeaient, mais ils auraient aussi bien pu être sur une scène. On allumait les torches autour d'eux et, sur un côté, des musiciens battaient des tambourins et soufflaient dans des flûtes vrombissantes.

Quand leur petit groupe passa devant les spectateurs, de l'autre côté des bassins dorés, Nubia vit que la plupart des observateurs étaient des gens riches et bien nés. L'un d'eux, un sénateur aux cheveux gris, s'était penché vers son fils et lui murmurait à l'oreille, en désignant d'abord un gladiateur, puis un autre. Nubia eut l'impression qu'il y avait beaucoup plus de femmes que d'hommes. La plupart d'entre elles avaient relevé leur palla sur leur coiffure sophistiquée.

– Est-ce que ces gens aussi ont gagné un gladiateur avec une balle de loterie ? demanda Nubia à Fronto.

Fronto eut l'air déconcerté. Puis il éclata de rire.

– Non. Mais, comme toi, ils s'intéressent aux gladiateurs. Certains sont des acheteurs. D'autres veulent voir de près celui sur qui ils vont parier. La plupart des dames aiment juste les regarder, mais il y en a parfois quelques-unes qui en suivent un dans sa tente.

Son sourire disparut et il cracha par terre.

– C'est pour ça que ces femmes se cachent le visage avec leur palla. Elles sont censées être respectables. Il y en a même qui sont mariées.

– Voilà Taharqo !

Nubia avait le cœur battant.

– Puis-je aller lui parler ?

Fronto secoua la tête.

– J'ai bien peur que non. Ça ne se fait pas comme ça. Tu vas devoir te placer en face de lui et attirer son attention. Une fois qu'il aura mangé, il viendra vers toi. S'il en a envie.

Lupus désigna le groupe de femmes qui attendaient en face du divan de Taharqo et haussa les sourcils.

– Oui, l'approuva Fronto. Pantherus plaît beaucoup aux filles. On dirait que tu vas devoir attendre ton tour, ma grande.

Mais Nubia n'eut pas besoin d'attendre.

Dès que Taharqo l'aperçut, son visage s'étira dans un grand sourire, il descendit de son divan et traversa le bassin pour la rejoindre, en projetant des éclaboussures.

– Petite sœur ! s'écria-t-il dans leur langue. Je croyais bien t'avoir vue, aujourd'hui, dans la loge impériale. Et maintenant te voilà !

Il la prit dans ses bras et, même à travers sa douce tunique et sa poitrine bandée, elle sentait battre son cœur. Elle le serra contre elle. C'était vraiment lui. Son grand frère chéri. Vivant.

Elle avait tant de choses à lui dire. Tant de questions à lui poser. Tant de lamentations. Tant de souvenirs. Ce trop-plein d'émotions déborda comme du vin versé dans un pichet trop petit, et des larmes brûlantes coulèrent sur ses joues.

– Je sais, murmura-t-il. C'était terrible. Terrible.

Son frère l'étreignit pendant un long moment, jusqu'à ce que ses larmes tarissent enfin.

Puis il la tint à bout de bras et lui sourit. Brusquement, Nubia remarqua la présence de tous les gens qui les entouraient : Lupus, Fronto et une demi-douzaine de femmes qui les observaient avec curiosité dans le coucher de soleil.

Lupus lui tendit son mouchoir sale. Nubia le prit, se moucha et sourit à Taharqo.

– Je te présente mon ami Lupus, dit-elle en latin.

– Je suis honoré de faire ta connaissance, déclara son frère.

De toute évidence, il maîtrisait bien le latin.

Puis il regarda une jolie jeune femme qui se tenait à côté de Lupus.

– Et vous, qui êtes-vous ? demanda-t-il.

La fille poussa un cri d'excitation et s'avança d'un pas.

– Ooooh ! Je m'appelle Chriseis et je vous trouve formidable !

Nubia vit qu'elle avait de ravissants yeux verts, une peau de lait et une silhouette pulpeuse.

Taharqo adressa un clin d'œil à Chriseis.

– Ne t'en va pas… lui dit-il en latin, avant de se retourner vers Nubia. Mon prochain combat a lieu dans trois jours, reprit-il dans leur langue, en serrant les mains glacées de sa sœur entre ses paumes chaudes. Tu reviendras ?

– Taharqo, j'ai une balle pour gagner un gladiateur, lui annonça Nubia. Tu peux retrouver ta liberté.

Il lâcha ses mains ; Nubia fouilla dans sa bourse.

– Tu as quoi ?

Il écarquilla les yeux.

– Oh ! Une balle de loterie ! Tu as gagné une balle de loterie ?

Nubia acquiesça et des larmes de joie montèrent dans ses yeux.

– Et les dieux ont décidé que je pouvais choisir un gladiateur. Je peux te choisir *toi*, Taharqo. Tu peux rentrer à Ostia avec moi. Tu peux être libre.

Taharqo jeta la tête en arrière et s'esclaffa.

– Libre ? répéta-t-il. Libre ?

Il s'avança, prit Chriseis par la taille et l'attira près de lui. La fille poussa des petits cris et le regarda d'un air adorateur.

– Et je perdrais les jolies filles comme celle-ci ? poursuivit Taharqo dans leur langue. Je perdrais les meilleurs plats que j'aie jamais mangés ? Je perdrais une chambre aux murs peints, une bourse pleine d'or après chaque combat et mon esclave personnel pour me faire des massages ? Je perdrais l'adulation du peuple romain ? Ma petite sœur chérie, pourquoi voudrais-je être libre ?

– Ne pleure pas, Nubia, dit Flavia depuis son lit. Sinon tu vas me refaire pleurer aussi.

Nubia et Lupus étaient de retour chez le sénateur Cornix, assis sur des chaises dans la chambre des filles, éclairée par des lampes. Flavia était blottie dans son lit avec Tigris. Il faisait nuit dehors, mais Sisyphe avait allumé tant de lampes dans la chambre que l'odeur douceâtre de l'huile d'olive emplissait la pièce. Il venait d'en apporter une autre.

– Regarde, dit Flavia. Voilà Niobé avec ton dîner. Tu te sentiras mieux quand tu auras mangé quelque chose.

La cuisinière du sénateur Cornix – une esclave taciturne – tendit un pichet de lait fermenté à Lupus et posa un plateau de viandes froides et de salade sur les genoux de Nubia.

– Ma pauvre Nubia, dit Sisyphe, assis sur le lit de Flavia. Ta balle de loterie aurait pu offrir la liberté à deux personnes qui te sont chères. Mais aucune des deux n'en a voulu. Comme c'est ironique.

– Je crois que je comprends pourquoi Taharqo a refusé, commenta Flavia, pensive, en caressant la tête de Tigris. Que ferait-il s'il n'était pas gladiateur ?

Sisyphe l'approuva tristement d'un hochement de tête.

– La vie de gladiateur peut être très agréable.

Flavia se radossa contre ses oreillers et regarda le plafond tremblotant.

– Mais pourquoi Jonathan ne veut-il pas être libre, lui ?

Les autres se taisaient, alors elle répondit elle-même à sa question :

– J'en suis sûre, maintenant, dit-elle lentement. C'est bien Jonathan qui a allumé l'incendie.

Lupus posa son pichet et la regarda avec de grands yeux.

– C'est la seule explication, reprit Flavia en se redressant. Ça colle avec tous les indices. La rumeur selon laquelle un garçon aux cheveux bouclés a allumé l'incendie. Le fait que Jonathan soit si dur, et se fasse appeler Ira. Qu'il ait choisi Prométhée comme nom d'arène. Réfléchissez. L'incendie a tué des milliers de personnes. Je crois que si j'avais commis un acte aussi terrible, je voudrais changer de nom et oublier mon passé, moi aussi.

– Mais pourquoi ? demanda Nubia. Pourquoi Jonathan ferait-il une chose aussi terrible qu'allumer un incendie ?

Flavia remarqua que son amie n'avait pas touché à son dîner.

– Rappelez-vous la dernière chose qui s'est passée avant sa fuite, dit-elle. L'empereur a fait une déclaration d'amour à sa mère, puis il a chassé Jonathan.

Ils hochèrent tous la tête.

– Jonathan devait être tellement furieux contre Titus, et tellement blessé à cause de sa mère, qu'il est monté au temple, sur le Capitole, et qu'il y a mis le feu.

– Peut-être… dit Nubia, hésitante. Jonathan ne sait même pas que sa mère est rentrée à Ostia. Il pense peut-être qu'elle vit toujours au palais, avec Titus.

– Par la barbe du grand Neptune ! s'exclama Flavia. Nubia, tu as raison ! La dernière chose que Jonathan a vue, c'est Titus mettant son père par terre et disant à sa mère qu'il l'aimait. Il ne sait peut-être même pas que ses parents sont de nouveau ensemble.

– Si on le lui dit, il voudra sans doute redevenir Jonathan.

– Pas sûr, murmura tristement Flavia, en jetant un coup d'œil à Tigris. Si tu avais tué des milliers de personnes, voudrais-tu que tes parents le sachent ?

Nubia regarda Tigris, qui les observait avec espoir, la langue pendante, et se remit à pleurer.

– Vous venez de vivre une dure journée, tous les trois, déclara Sisyphe d'une voix douce. Voilà une heure que le soleil s'est couché, vous devriez être au lit depuis longtemps. Je vous conseille de vous reposer. Quant à toi, petite demoiselle, dit-il à Flavia, je te donne les dernières gouttes de la potion somnifère du sénateur Cornix. Tu as besoin de passer la nuit à dormir, et pas à te faire du souci.

Jonathan se réveilla en sueur. Il avait encore rêvé de l'incendie et son cœur battait la chamade.

La transpiration qui mouillait sa peau était devenue glaciale. Il frissonna et s'enroula dans sa mince couverture comme dans une cape, puis sortit de son lit et quitta la salle voûtée pour aller prendre l'air dehors. Une torche vacillait, quelque part derrière lui, et projetait loin devant l'ombre étrange et floue du garçon.

Comment en était-il venu à se retrouver ici, à la Maison dorée, où, six mois plus tôt, il avait découvert que sa mère était en vie ?

Rêvait-il ?

Était-il mort ?

Dans la lumière argentée de la pleine lune, les motifs de la fresque sur les hauts murs paraissaient noirs et gris. Comme le Pays du Gris de Nubia. Comme le monde souterrain.

Si seulement il pouvait remonter le temps et effacer ce qu'il avait fait. Si seulement il pouvait descendre aux Enfers et ramener sa mère. Si seulement il pouvait mourir pour la sauver.

Il sortit dans la cour de sable dédiée à l'entraînement et regarda la pleine lune argentée, qui s'élevait vers son zénith. Elle avait quelque chose de particulier, cette lune. Quelque chose de spécial. Mais quoi ? La réponse le tourmentait dans un coin de sa mémoire, mais il ne la trouva pas.

Il entendit une mélopée assourdie. Un verset suivi d'un répons, qui venaient de quelque part sur sa droite. Les sourcils froncés, il entra silencieusement dans un couloir haut de plafond et vit un trait de lumière vacillante sous une porte.

Il resta devant, en retenant son souffle, et tendit l'oreille. À l'intérieur, une voix d'homme psalmodiait une phrase que son père récitait souvent :

– Ceci est mon sang, versé pour le pardon de nos péchés. Toutes les fois que vous le boirez, faites-le en mémoire de moi.

Le souvenir revint. Ce n'était pas seulement la lune qui était spéciale. Cette nuit était spéciale aussi. C'était Pâques.

Jonathan poussa la porte et entra.

Trois visages surpris se tournèrent vers lui. Il y avait Exactor, un percepteur d'impôts qui avait fait faillite : il s'était vendu à l'école et se battait avec les armes d'un Thrace. Les deux autres étaient d'anciens esclaves. Un hoplomachus nommé Alexamenos et un autre Thrace originaire de Judée. Jonathan ne se rappelait pas son nom.

– Ira, dit Exactor avec un air coupable. Qu'est-ce que tu… ?

C'était une petite pièce – l'une des plus petites de la Maison dorée – et les trois hommes étaient assis en tailleur sur le sol, près d'une table. Les seuls objets posés dessus étaient une demi-miche de pain et une coupe en céramique remplie de vin rouge comme un rubis, qui brillait à la lumière de la lampe.

– Le repas du Seigneur, chuchota Jonathan, en les regardant avec stupeur. Vous êtes chrétiens !

Alexamenos lui sourit et hocha la tête.

– Aimerais-tu te joindre à nous, Ira ? Es-tu croyant ?

Jonathan se tut et réfléchit.

– Non, dit-il enfin. Je ne le suis plus.

Il se retourna lentement et quitta la pièce.

Nubia, vidée après tant d'émotions, tomba dans un sommeil profond et sans rêves. Peu avant l'aube, elle émergea de ce néant bienvenu et s'approcha de l'état conscient.

Quand elle vit Jonathan au sommet d'une colline blanchie par le soleil, elle comprit qu'elle rêvait, mais ne put empêcher le rêve de se dérouler dans sa tête. À part Jonathan, il n'y avait rien d'autre sur cette colline que des ronces, des chardons et une grande pierre plate. Soudain, un homme en longue robe noire apparut. Il avait des cordes dans les mains. Il dit quelque chose à Jonathan, qui hocha la tête et s'allongea sur la pierre brûlante.

L'homme se pencha sur le garçon et lui ligota les pieds et les mains, puis lui poussa doucement la tête en arrière pour exposer sa gorge vulnérable. Ensuite, il prit quelque chose dans sa robe noire et, quand il leva la main, Nubia vit l'éclat d'une lame.

À l'instant où l'homme abattait son couteau, Nubia se réveilla.

PROGRAMME DES JEUX

IIIE JOURNÉE D'INAUGURATION DU NOUVEL AMPHITHÉÂTRE

DANSEURS ÉTRUSQUES

CHASSE DE CHIENS SAUVAGES ET D'ANIMAUX EXOTIQUES

EXÉCUTION D'UN CRIMINEL
*où un pyromane mourra
en rejouant le supplice de Prométhée*

COMBATS DE GLADIATEURS FANTAISISTES
avec des nains et des infirmes

COMBATS DE GLADIATEURS

VENTE D'OMBRELLES ET DE BOISSONS
DISTRIBUTION DE PRIX

ROULEAU XXXI

L'empereur Titus se tourna vers Nubia.
– Où est Flavia Gemina ? Et votre tuteur...
Tantale, je crois ?

C'était le troisième jour des jeux d'inauguration. Ce matin, la température était fraîche et le soleil brillait. Nubia et Lupus venaient de s'installer sur les divans de la loge impériale.

– Flavia ne se sent pas bien, expliqua Nubia. Elle dort encore. Sisyphe est resté veiller sur elle.

– La pauvre, dit Titus. J'espère qu'elle sera guérie cet après-midi. Nous allons faire combattre Fabius dans le rôle d'un andabata[1]. Avec une armure et une épée tranchante, mais sans ouvertures pour les yeux dans son casque. Ses adversaires et lui se frapperont à l'aveuglette. J'ai pensé que ça l'amuserait.

Nubia fixa son visage joyeux avec horreur.

Le sourire de Titus vacilla.

---

1. Gladiateur dont le casque ne comporte pas d'ouvertures pour les yeux ; il doit frapper son adversaire (un autre andabata, en général) à l'aveuglette.

– Alors, Nubia, as-tu décidé quel gladiateur tu veux ?

La jeune fille hocha la tête.

Elle sortait sa balle de loterie de sa bourse quand Fronto apparut en haut de l'escalier et claqua des talons, au garde-à-vous.

– Les hommes que vous avez convoqués, César, annonça-t-il. Ils sont ici, comme vous l'avez demandé.

– Fais-les entrer, dit Titus.

Fronto s'écarta et, quand les deux hommes s'avancèrent, Lupus bondit sur ses pieds, affolé.

Titus indiqua un divan vide de l'autre côté de son trône.

– Africanus. Stertinius. Entrez. Asseyez-vous. Je veux que tout le monde voie que je vous ai pardonné de comploter contre moi.

Ce fut au tour de Lupus de fixer l'empereur d'un air horrifié.

– Je suis le pontifex maximus[1], maintenant, dit Titus à l'attention de Lupus, assez fort pour que les sénateurs des sièges alentour puissent l'entendre, et j'ai l'intention de faire preuve d'une grande clémence tant que j'occuperai cette position.

Il sourit aux deux hommes.

1. Littéralement, « le plus grand prêtre ». L'expression désigne ici l'empereur.

– Je vous en prie, asseyez-vous et prenez quelque chose à boire. Et j'espère que vous viendrez également dîner avec moi ce soir, au Palatin. Au fait, Africanus, j'ai informé ta mère à Neapolis[1] que tu es en bonne santé et en sécurité.

Africanus tomba à genoux et appuya ses lèvres avec ferveur contre la main de Titus.

– César ! Vous êtes miséricordieux. Pardonnez-nous.

– C'est déjà fait.

Titus se tourna vers Nubia.

– Alors, ma chère, ce sera qui ? Quel gladiateur aimerais-tu ramener chez toi ?

Nubia brandit la balle en bois.

– Prométhée, dit-elle tranquillement. C'est Prométhée que j'aimerais ramener chez moi.

Titus haussa les sourcils.

– Le jeune gladiateur d'hier ? Le Thrace ? Il s'est bien battu... mais pourquoi pas ton frère ?

– Parce que ce « Prométhée » est leur ami, intervint une voix de femme. Leur ami Jonathan.

Ils se tournèrent tous vers Julia, qui découpait un melon avec un couteau en argent.

Elle les regarda, un dé de melon vert piqué au bout de sa lame.

---

1. Grande ville du sud de l'Italie, près du Vésuve. C'est l'actuelle Naples.

– Eh bien ? N'est-ce pas ce que vous avez dit hier ?

Titus considéra sa fille avec stupeur, puis se tourna lentement vers Nubia.

– Votre ami Jonathan ? répéta-t-il. Le jeune gladiateur qui se fait appeler Prométhée est votre ami Jonathan ben Mordecaï ? Le fils de Susannah ?

Nubia regarda Lupus, puis Titus, qui venait de se montrer indulgent avec des hommes qui avaient tenté de l'assassiner. Il serait sans doute indulgent avec Jonathan aussi.

– Oui, dit-elle courageusement. Jonathan est vivant.

Mais en prononçant ces paroles, Nubia découvrit l'identité de la silhouette en robe noire de son rêve. Elle avait cru que c'était Mordecaï, mais à cet instant, elle se rendit compte que l'homme de son rêve était plus petit et plus costaud.

Titus se leva. Il était très pâle.

– « Quand un Prométhée ouvrira une boîte de Pandore… » murmura-t-il, puis il tourna la tête et lança d'une voix dure : Gardes ! Arrêtez le jeune gladiateur qui se fait appeler Prométhée. Et amenez-le ici immédiatement.

Nubia plongea la tête dans ses mains.

Elle avait compris trop tard.

La silhouette au couteau de son rêve, c'était Titus.

Quand on introduisit Jonathan dans la loge de l'empereur, Lupus se leva, de nouveau frappé par l'allure de son ami : il avait tellement changé ! Avec sa tête rasée et son corps musclé, Jonathan ressemblait à un jeune voyou. Ses tibias portaient des marques de coups et les jointures de ses deux mains étaient égratignées et enflées. Et il avait une nouvelle cicatrice au menton.

Il jeta un coup d'œil à Lupus, puis détourna froidement le regard.

Lupus éprouva comme un coup au cœur. Il se rassit sur le divan.

– Jonathan ben Mordecaï, dit Titus.

Il se leva de son trône et s'approcha de Jonathan.

Le jeune gladiateur était presque aussi grand que l'empereur et tous deux se toisèrent pendant un moment. Lupus vit Jonathan détourner le regard en premier.

– Dis-moi, Jonathan… et réfléchis bien avant de répondre : on raconte partout qu'un garçon brun aux cheveux bouclés a été vu sur le Capitole la nuit où l'incendie a commencé. Je crois que nous retenons un garçon qui correspond à cette description, en bas, dans les cellules. Il est censé être exécuté à midi aujourd'hui. Est-ce qu'on tient le bon ? Ou bien est-ce toi qui as allumé l'incendie ?

Jonathan ne répondit pas.

– Ce garçon mérite-t-il de mourir ?

– Non, dit enfin Jonathan, et il ajouta d'une voix sans timbre : C'était un accident. J'essayais d'empêcher votre ennemi de…

– As-tu allumé l'incendie ? Oui ou non ?

– Oui, César. J'ai allumé l'incendie.

– C'est bien ce que je pensais.

L'empereur se tourna vers Fronto.

– Libérez l'autre garçon et exécutez celui-ci à la place.

Puis, à Jonathan :

– Je suis désolé, Jonathan ben Mordecaï, mais dans ce cas précis, justice doit être rendue.

Dans la loge impériale, Nubia s'agenouilla devant le premier citoyen de Rome et colla les lèvres contre sa main douce, couverte de taches de rousseur.

– S'il vous plaît, César, supplia-t-elle. S'il vous plaît, pardonnez Jonathan. C'était un accident.

– Essaie de comprendre, répliqua gentiment Titus en dégageant sa main et en relevant Nubia. Je peux pardonner à ces deux hommes qui voulaient ma mort. Cette menace s'adressait à moi personnellement et je dois montrer au peuple de Rome que je ne suis pas un nouveau Néron. Mais l'incendie du mois dernier a coûté des milliers de vies. Le peuple romain réclame sa vengeance. Je dois désigner un coupable et le faire payer. Tu comprends ?

Nubia secoua la tête.

– Nubia. Lupus. Savez-vous ce qu'est un bouc émissaire ? C'est la mère de Jonathan qui m'a expliqué ça : les péchés d'une communauté sont transférés sur un bouc émissaire et ensuite, la bête est tuée. Quand le bouc émissaire est mort, le peuple est pardonné.

Lupus écrivit sur sa tablette et la brandit :

Comme Néron quand il a accusé les chrétiens d'avoir causé l'incendie ?

– Je suppose… dit Titus en fronçant les sourcils. Mais ne vaut-il pas mieux qu'une seule personne meure, plutôt que toute une communauté ? Et Jonathan est coupable, en l'occurrence. Même lui l'admet.

– Jonathan croit toujours que tout est de sa faute, répliqua tranquillement Nubia.

Titus se passa une main sur la figure.

– Jonathan a commis l'un des crimes les plus terribles qui soient, Nubia. Et j'ai promis au peuple romain de punir les coupables. Je peux changer les règles dans le cas de deux gladiateurs qui combattent, mais dans une affaire comme celle-ci… Comment pourrais-je briser ma promesse ? Savez-vous à quel point c'est dur pour moi ? De condamner le fils unique de quelqu'un que j'… qui compte tellement pour moi ?

– Mais Jonathan était mort ! protesta Nubia, en larmes. Et maintenant, il est vivant. Comment pouvez-vous le tuer encore une fois ?

Jonathan se laissa entraîner sans regarder où on le conduisait.

Il était étrangement soulagé. La mort mettrait fin à son désespoir et à sa culpabilité. Car non seulement il avait tué des milliers de Romains dans l'incendie, mais il était également responsable de la mort de sa mère.

Il lui avait donné une potion pour la faire dormir. En fait, la potion l'avait tuée.

Il avait voulu mourir, lui aussi, mais s'était convaincu qu'il méritait de souffrir. Voilà pourquoi il avait abandonné sa liberté pour devenir gladiateur.

Alors à présent, il supportait sans broncher qu'on le bouscule pour le faire avancer, dans les galeries obscures des sous-sols de l'amphithéâtre, et que les gardes lui crachent dessus.

Il le méritait.

Quand les autres prisonniers le maudirent, il resta impassible.

Il le méritait.

Mais quand un homme avec une verrue sur la paupière lui étala du sang chaud sur le corps – pour encourager l'animal à l'attaquer –, Jonathan se plia en deux et vomit sur la paille qui recouvrait le sol.

Il n'avait pas pu s'en empêcher.

Tigris ! Qu'est-ce que tu as ? murmura Flavia,
– tout endormie. Arrête de m'aboyer dans les
oreilles ! Tigris !

Elle se redressa dans son lit.

– Mais tu aboies ! Est-ce que Jonathan est ici ?
Est-ce que Nubia l'a racheté avec sa balle de loterie ?
Oh, j'ai un goût horrible dans la bouche. On dirait la
Cloaca Maxima[1] !

Flavia tâtonna à la recherche du pichet de cuivre
posé sur sa table de chevet et but une longue gorgée
d'eau froide.

– Regarde comme le soleil est haut ! Il doit être
bientôt midi. Pourquoi personne ne m'a réveillée ?
Où est Sisyphe ? Tigris ! Arrête d'aboyer !

Flavia se leva d'un bond et chercha ses sandales
du bout des pieds sur le sol en mosaïque rugueux.
Quelqu'un frappait des coups de heurtoir à la porte,
devant la maison. Tigris l'entendit aussi, et sortit de
la chambre comme une flèche.

---

1. Le « grand égout ». Canalisation qui passait sous le forum de Rome.

– Tigris ! Reviens ! Où vas-tu ? Tigris, attends-moi !

« La mort ou bien nous détruit ou bien nous libère. »

C'était une phrase de Sénèque que Rotundus affectionnait. Parfois, pendant le dîner, le lanista déambulait parmi les gladiateurs en citant le grand philosophe stoïcien.

« Sois toujours préparé. Sache que la mort n'est qu'à un battement de cœur de distance. Mourir avec honneur et gloire, voilà qui est rare. Si tu crains la mort, tu ne feras jamais rien de grand. » Ensuite, Rotundus ajoutait : « Quand viendra pour toi l'heure de la mort, affronte-la courageusement. Honore cette *familia* en restant digne jusqu'à la fin. »

La porte de la cellule s'ouvrit et deux soldats s'avancèrent ; Jonathan se promit intérieurement : « Je mourrai d'une belle mort. Une mort qui fera la fierté de ma *familia*. Et de mes amis, s'ils regardent. »

Il essaya d'empêcher ses genoux de trembler quand les soldats l'encadrèrent, le saisirent par les bras et l'entraînèrent dans un couloir obscur et voûté, puis dehors, dans l'immense arène.

Hier, les huées de la foule lui avaient donné la colère dont il avait besoin pour gagner.

Aujourd'hui, elles furent rares et sans conviction quand les soldats le poussèrent à effectuer le tour de la honte. Jonathan jeta un coup d'œil à sa droite. Les sénateurs qui étaient encore là discutaient, mangeaient ou examinaient des morceaux de papyrus. Quelques-uns seulement prirent la peine de le maudire ou de lui jeter des fruits pourris. Depuis l'un des étages les plus hauts, une laitue voleta jusqu'à lui et tomba sur son épaule nue. D'autres missiles atterrirent de façon inoffensive sur le sable, coloré en rose par les toiles rouges qui filtraient le soleil de midi, tout là-haut.

D'un rapide coup d'œil, Jonathan vit de la haine sur les quelques visages tournés vers lui ; il poursuivit son tour de l'arène en gardant la tête baissée. Le sable chaud, sous la plante de ses pieds nus, était une sensation familière, mais il ne reconnaissait pas ses pieds. Il les regardait avancer, l'un après l'autre. Le gauche était couvert de sang, le droit à peine éclaboussé. Il savait qu'on l'avait badigeonné de sang pour encourager une bête à le dévorer.

Une silhouette masquée, armée d'un maillet, se tenait dans l'ombre. Jonathan frissonna. Si la bête ne l'achevait pas, Pluton s'en chargerait.

Trop vite, il termina son tour de déshonneur. Ce fut seulement quand les soldats le poussèrent vers le centre de l'arène qu'il remarqua ce qui s'y trouvait : une croix érigée sur une dune.

Il se demanda s'il rêvait.

On avait dû laisser cette installation après les combats d'animaux du matin : un monticule de sable avec des genévriers, des palmiers nains et une fausse grotte. La croix en bois dressée au sommet était surmontée d'un panneau qui déclarait en lettres rouges : J'AI MIS LE FEU À ROME.

Non, il ne rêvait pas.

Il était midi. On avait déroulé les vela et, dans la lumière rosée, les étages du nouvel amphithéâtre étaient animés. Les Romains se déplaçaient pour acheter des casse-croûte, déballaient leur déjeuner sur des serviettes, allaient boire aux fontaines de longues gorgées d'eau teintée de vin. De nombreux sièges étaient vides. Leurs occupants étaient partis prendre des paris sur les prochains combats de gladiateurs, acheter des lampes à huile et autres souvenirs sous les arcades ou même passer une heure aux nouveaux thermes de Titus, commodément situés à proximité de l'amphithéâtre.

C'était le moment de relâche, entre les violents combats d'animaux et l'événement principal de la journée, les combats de gladiateurs. Le moment où les vulgaires criminels étaient exécutés.

Seuls quelques milliers de personnes prêtèrent donc attention au garçon qu'on exhibait tout autour de l'arène, dont le sable avait été rafraîchi et ratissé après la chasse de chiens sauvages et d'animaux exotiques du matin.

Deux sénateurs qui grignotaient du fromage et du pain de seigle, au premier étage, commentèrent l'admirable stoïcisme du garçon qui allait être exécuté.

– Tu vois, dit l'un en agitant la main qui tenait un morceau de pain, ces spectacles se révèlent instructifs, parfois. Ils nous montrent que même les classes inférieures peuvent mourir avec dignité. Regarde comme il se tient tranquille : il laisse les soldats lui attacher les poignets à la croix.

L'autre acquiesça.

– Mais ce n'est pas encore fini. Certains ne se rendent vraiment compte de ce qui leur arrive que lorsque l'ours commence à leur déchirer la chair. C'est à ce moment-là que leur courage est vraiment mis à l'épreuve.

– Le vautour, corrigea le premier. Il est censé rejouer la mort de Prométhée, alors ce sera un vautour.

– On peut dresser un vautour à dévorer une personne vivante ?

– Il y avait bien ce sanglier dressé, avant-hier.

– Mais ils l'ont badigeonné de sang. Ils ne font sûrement ça que pour les carnivores.

– Mmmm, fit le premier en avalant son dernier morceau de fromage. Je me demande ce que Pluton est en train de lui dire…

– On dirait qu'il vérifie juste les liens, pour s'assurer qu'ils sont bien serrés. Je te parie dix sesterces[1] que le garçon va crier avant que le léopard le touche.

– Pari tenu, dit l'autre.

Lupus claquait des dents. Il s'était mis à trembler de tout son corps quand on avait fait marcher Jonathan tout autour de la grande arène. À présent, on le ligotait sur une croix et l'orgue aquatique martelait un chant lugubre. Lupus allait voir son meilleur ami se faire mettre en pièces par une bête sauvage. Pouvait-il regarder ? Pouvait-il ne pas regarder ?

Il jeta un coup d'œil à l'empereur. Lupus aurait voulu le haïr, mais n'y parvenait pas. Blême, Titus était assis tout raide sur son trône ; quand Africanus se pencha vers lui pour lui parler, il le repoussa d'un geste sans détacher les yeux de l'arène.

Lupus chercha Nubia. Mais elle était partie aux latrines près d'une demi-heure plus tôt et n'était toujours pas revenue à sa place. Sans doute se cachait-elle. Il ne pouvait pas lui en vouloir. Elle détestait le sang.

Maintenant, pour la première fois depuis trois jours, ce spectacle le dégoûtait, lui aussi. C'était vraiment quelqu'un qui s'apprêtait à être exécuté,

1. Pièce de cuivre. Quatre sesterces valent un denarius.

cette fois. Quelqu'un qu'il aimait comme un frère. Pendant un instant, Lupus envisagea de sortir, suivant l'exemple de Nubia. Mais c'était déjà trop tard.

En dessous de lui, un énorme lion noir venait d'arriver au trot dans l'arène.

– Par les dieux ! murmura Africanus. Un lion noir ! Je croyais qu'ils n'existaient que dans les mythes !

– Quoi ? demanda Julia. Qu'est-ce que ça a de spécial, un lion noir ?

– Ils sont plus féroces et plus puissants que tous les autres lions du monde, expliqua Africanus. Quand j'étais petit, ma nourrice me disait que si je n'étais pas sage, le lion noir viendrait me chercher.

Lupus sentit un froid glacial l'engourdir. Il ne lui restait plus qu'une seule chose à faire. Alors c'est ce qu'il fit.

Il ferma les yeux et pria.

Jonathan se débattait pour libérer ses mains de leurs liens.

Pluton – le bourreau masqué – ne les avait pas resserrés. En fait, il les avait détendus en disant : « Cours le plus vite possible, et sors par la porte de la Mort. Je t'y attendrai. »

La voix de Pluton lui était familière, tout comme ses petits yeux marron qui l'avaient regardé à travers le masque. Mais Jonathan n'avait pas réussi à l'identifier. La terreur avait effacé sa mémoire. « Cours le plus vite possible », avait dit Pluton.

Mais il n'avait pas suffisamment desserré ses liens et Jonathan s'efforçait toujours de libérer ses poignets.

Soudain, il comprit qu'il ne voulait pas mourir. Il voulait vivre.

Mais l'énorme bête noire était presque sur lui.

Le lion se dressa sur les postérieurs et posa deux lourdes pattes sur les épaules de Jonathan.

Le garçon ferma les yeux et attendit la fin. Il perçut l'haleine fétide du fauve et l'entendit grogner. Puis il sentit une chose humide, chaude et râpeuse sur sa poitrine. Le lion léchait le sang dont on l'avait badigeonné ! D'une minute à l'autre, il croquerait une énorme bouchée de Jonathan.

Le prisonnier libéra enfin sa main droite d'un coup sec et ferma le poing, prêt à frapper l'animal, quand une voix familière, à peine audible par-dessus les accords rugissants de l'orgue aquatique, l'appela depuis la grotte.

– Jonathan ! C'est Monobaz. Ne lui fais pas de mal et il ne te fera pas de mal.

– Nubia !

Jonathan ouvrit les yeux : le lion noir le regardait de ses yeux dorés, paisibles.

– C'est Monobaz ? croassa Jonathan sans bouger la tête. Tu es sûre ?

– Oui, fit la voix. Nous l'avons déguisé avec du brou de noix.

En effet, Jonathan distinguait la fourrure dorée du lion sous les stries de teinture marron, sur son énorme museau.

– Gratte-le derrière l'oreille, intervint une voix d'homme marquée d'un gros accent, à peine audible parmi les accords angoissants de l'orgue aquatique. Il aime bien ça.

Jonathan suivit son conseil. L'animal grogna plus fort. Soudain, Jonathan s'aperçut que ce n'étaient pas des grognements : le lion ronronnait !

– Monobaz ! s'écria Jonathan d'une voix éraillée. Gentil chaton.

Les accords graves et inquiétants de l'orgue aquatique s'arrêtèrent. Dans la foule, certains riaient. D'autres le maudissaient, ou insultaient le lion.

Monobaz appuyait toujours ses lourdes pattes sur les épaules de Jonathan, qui continua de lui gratter l'oreille : le gros chat ronronnait en rythme.

– Ouille ! hoqueta soudain Jonathan.

Les griffes acérées de Monobaz commençaient à s'enfoncer dans ses épaules.

– Dis-lui : « Pattes de velours » ! fit la voix de l'homme à l'accent. Ce n'est qu'un gros chaton.

– Pattes de velours ! Pattes de velours ! cria Jonathan.

Le gros chat, docile, rétracta ses griffes et retomba à quatre pattes. Il se mit à lécher le sang qui couvrait les jambes et les pieds de Jonathan. L'orgue aquatique jouait un air enjoué, à présent, et Jonathan entendit des éclats de rire dans la foule.

– Jonathan! appela la voix de Nubia depuis la grotte. Grimpe sur son dos!

– Quoi?!

– Je l'ai dressé à laisser une personne monter sur son dos, précisa Mnason. Je suis presque sûr qu'il te laissera faire. Dis juste le mot «Dionysos[1]».

Jonathan savait qu'il devait agir tout de suite. Plus tard, ce serait trop tard. Mais Pluton n'avait pas assez desserré la corde qui retenait sa main gauche; elle était toujours prise au piège. Avec une prière muette, le garçon tira d'un coup sec. Il en eut les larmes aux yeux, mais il avait libéré sa main. Sans la corde pour le retenir à la verticale, sur ses jambes flageolantes, il faillit tomber sur le lion. Il parvint tout juste à rester debout.

Jonathan caressa Monobaz sur la tête.

– Dionysos, dit-il, mais sa voix n'était plus qu'un filet rauque. Dionysos! essaya-t-il encore.

Cette fois, le gros chat parut réagir. Il cessa de lécher les pieds de Jonathan et resta immobile.

---

1. Dieu grec des vignes et du vin, souvent représenté chevauchant une panthère.

— Pitié, mon Dieu, faites que ça marche, marmonna Jonathan.

Et il grimpa sur le dos de l'énorme lion noir.

Lupus ouvrit sa bouche sans langue et poussa un cri de joie.

Tout autour de lui, dans l'amphithéâtre, les gens riaient et criaient de joie, eux aussi.

Jonathan avait passé les bras autour du cou du lion et serrait le ventre de l'animal entre ses jambes nues. À présent, la bête et son cavalier descendaient lentement la colline de sable. Ils se faufilèrent entre les petits palmiers jusqu'à ce qu'ils atteignent le sable plat de l'arène.

— Par les dieux ! s'exclama Titus. Regardez ça ! Je n'avais jamais vu quelqu'un chevaucher un lion mangeur d'hommes. Même Carpophorus ne pourrait pas faire ça.

— Ce garçon doit avoir la faveur des dieux ! hoqueta Africanus.

— C'est également ce que pense le peuple, renchérit Calvus en indiquant les spectateurs d'un geste du menton.

Lupus détourna les yeux de Jonathan. L'orgue aquatique jouait l'air triomphal qui retentissait chaque fois qu'un gladiateur remportait la victoire. Dans l'amphithéâtre, de nombreuses personnes avaient levé le pouce. D'autres agitaient des mouchoirs blancs.

– *Mitte*[1] ! les entendit-il hurler. *Mitte* !

– Ils veulent que tu l'épargnes, Pater ! gloussa Julia.

– En effet, dit Titus, et Lupus l'entendit marmonner : Ils changent facilement d'avis.

L'empereur se leva lentement de son trône et regarda ses sujets. Puis il écarta les bras et hocha exagérément la tête pour indiquer qu'il céderait aux désirs du peuple et laisserait la vie sauve au garçon.

Ce fut le délire dans la foule.

Lupus donna un coup de poing en l'air et mêla ses acclamations à celles des autres.

Et dans l'arène, en dessous de lui, le lion noir et son cavalier marchèrent tranquillement vers la porte de la Vie.

Jonathan fut conduit dans la loge impériale.

– Il semblerait que les dieux t'aient épargné, Jonathan ben Mordecaï, lui dit l'empereur. Je n'avais jamais rien vu de pareil. Ce redoutable mangeur d'hommes qui se frottait contre toi comme un gros chaton… Je te pardonne, tu es libre de partir.

Jonathan s'agenouilla devant Titus et inclina la tête.

– Merci, César.

---

1. En latin, « Libère ! ». Si le public estime qu'un gladiateur vaincu s'est bien battu, il demande à l'empereur de l'épargner.

Titus l'aida à se relever. Les gardes lui avaient trouvé une vieille tunique rouge et avaient terminé de nettoyer le sang séché sur ses jambes.

– Jonathan !

Nubia se faufila entre les gardes et se précipita dans la loge impériale.

– Tu es vivant !

Sa surprise était feinte, mais, quand elle lui sauta au cou en sanglotant de joie, il savait qu'elle ne faisait pas semblant. Lorsqu'elle le relâcha, elle remarqua Lupus et le serra également dans ses bras. Tous deux se retournèrent vers Jonathan et le regardèrent avec des yeux rayonnants.

À cet instant, les notes joyeuses des trompettes retentirent, et l'orgue aquatique entonna la marche des gladiateurs.

– Jonathan, reprit Titus, je n'ai pas beaucoup de temps.

Il indiqua les gladiateurs qui entraient dans l'arène.

– Tu as dit que l'incendie était un accident et je ne t'ai pas laissé l'occasion de t'expliquer. Peux-tu le faire maintenant ? Très vite ?

Jonathan lui raconta toute l'histoire.

– J'ai essayé de l'arrêter, dit-il pour conclure son récit, mais j'ai échoué. Je suis désolé, César. Tellement désolé. Tous ces gens…

L'empereur lui tapota l'épaule.

– Les dieux ont jugé bon de te pardonner, et moi aussi. Va en paix, Jonathan ben Mordecaï.

La musique était tonitruante, mais Titus baissa la voix.

– Et embrasse ta mère pour moi.

Jonathan redressa vivement la tête.

– Ma mère ?

Il eut l'impression qu'une main glacée lui avait empoigné l'estomac et le comprimait sauvagement.

– Elle est morte. Je… Ma mère est morte. Vous avez assisté à son enterrement, non ?

Par les dieux ! s'exclama Titus. Tu n'es pas au
courant ? Non, bien sûr que non !

Il se détourna un instant, puis se remit face
à lui.

– Comment pourrais-tu le savoir ?

– Jonathan, murmura Nubia. Ta mère est en
vie. Elle n'est pas morte.

Jonathan la regarda avec stupeur – elle avait les
yeux pleins de larmes. Puis il se tourna vers Lupus,
qui hocha vigoureusement la tête et leva les pouces.
En bas, dans l'arène, la musique s'amplifia.

– Sa vie était en danger... comme tu le sais,
expliqua l'empereur tout bas. Nous avons dû faire
croire qu'elle était morte. Organiser un faux enterrement. C'était le seul moyen de la protéger. Tu comprends ?

Jonathan hocha la tête, hébété. Il se sentait tout
engourdi.

Soudain, une boule noire jaillit dans la loge
impériale en aboyant. Tigris se jeta sur Jonathan et
lui couvrit le visage de coups de langue extatiques.

– Par tous les dieux ! tonna Titus. Nous ne pouvons tolérer...

– Jonathan ! s'écria Flavia Gemina, en déboulant dans la loge impériale à la suite de Tigris. Tu es libre ? Tigris s'est enfui de la maison et je l'ai suivi... Oh, Jonathan !

Flavia le serrait de toutes ses forces et Tigris lui grattait les jambes avec ses pattes.

– Aïe, Tigris ! hoqueta Jonathan.

Et, à Flavia :

– Peux pas respirer !

– Oh, Jonathan, je suis désolée ! J'oubliais ton asthme. Ça va ?

– Il va très bien, dit Titus avec un sourire. Il vient d'apprendre que sa mère est en vie.

– C'est vrai, Jonathan ! s'écria Flavia. Tes parents sont ensemble, maintenant. Chez eux, à Ostia. Oh, Jonathan ! Ils vont être tellement heureux quand ils apprendront que tu es vivant !

Jonathan acquiesça. Il était content d'avoir les bras occupés par un grand chiot qui gigotait. Il ne voulait pas qu'ils voient à quel point cette nouvelle le touchait.

– Maintenant, dit Titus, je vous suggère de rentrer immédiatement à Ostia, tous les quatre.

Il se pencha vers eux et reprit plus bas :

– À Rome, il y a beaucoup de gens qui ont perdu des proches dans l'incendie. Aujourd'hui, le peuple t'était favorable, mais il change d'avis sans cesse. Demain, il sera peut-être contre toi. Alors va-t'en maintenant. Vite.

Jonathan reposa Tigris par terre et suivit ses amis hors de la loge. Mais il s'arrêta sur le seuil et se retourna vers Titus.

— Merci, César, répéta-t-il.

Titus inclina la tête et lui adressa un curieux demi-sourire.

— *Shalom*[1], Jonathan ben Mordecaï. Que la paix soit avec toi.

— Je n'arrive pas à croire que j'ai dormi pendant tout ce temps ! dit Flavia, peu après.

Jonathan hocha la tête. Tandis qu'ils retournaient chez le sénateur Cornix, sous le soleil radieux de cet après-midi de mars, il lui avait raconté comment il avait échappé à la mort.

Au début, les filles avaient pris Jonathan par le cou, mais il avait besoin d'air pour respirer et les avait repoussées d'un petit coup d'épaule. Alors maintenant, ils marchaient côte à côte tous les quatre, avec un gros chiot ravi qui sautillait autour d'eux et s'emmêlait dans leurs jambes.

La respiration de Jonathan devint sifflante quand ils gravirent la pente raide du Clivus Scauri.

1. « Paix » en hébreu. Ce mot s'emploie également pour dire « bonjour » ou « au revoir ».

Soudain, Flavia s'arrêta.

– Comment t'es-tu détaché de la croix ?

– Oui, ajouta Nubia. Mnason et moi, nous n'avons pas trouvé de moyen de te libérer sans que les gens nous voient.

Jonathan s'arrêta aussi et fronça les sourcils.

– Oh, non ! J'avais complètement oublié ! Pluton, l'homme masqué. C'est lui qui a desserré mes liens. Il m'a dit de courir vers la porte de la Mort. Je ne sais pas qui c'était, mais sa voix m'a paru familière.

– Sans lui, nous n'aurions pas pu te sauver. Tu serais toujours ligoté sur la croix.

– Je sais. Je lui dois la vie.

Soudain, Tigris se mit à aboyer, et ils entendirent quelqu'un arriver au pas de course derrière eux.

La poitrine de Jonathan se comprima de terreur. Ils étaient venus le ramener à l'amphithéâtre. Et achever correctement le travail.

Il se retourna ; quand il vit qui c'était, il faillit sangloter de soulagement.

Et soudain, il comprit.

– Voilà mon sauveur, dit-il, incapable d'empêcher les larmes de lui monter aux yeux. Voilà mon Pluton.

Quand le grand esclave s'arrêta devant eux, le souffle court, Jonathan lui sauta au cou et le serra dans ses bras.

– Caudex ! s'écria-t-il. Merci.

278

Nubia et ses amis étaient assis sur des sièges rembourrés, dans la pénombre d'une carruca confortable. Ils rentraient à Ostia. Tigris était blotti sur les genoux de Jonathan, les yeux à demi fermés, satisfait de sentir la main de son maître sur sa tête. Jonathan était installé entre Lupus et Caudex. Flavia, encore faible, s'était étendue sur l'autre banquette, la tête sur les genoux de Nubia.

Derrière les parois en toile de la carruca, par-dessus le cliquetis des sabots de la mule sur la pierre et le grincement des roues, Nubia crut entendre les cris assourdis de cinquante mille Romains acclamant les jeux.

Elle savait que les duels de gladiateurs se déroulaient en ce moment même. Son frère y participerait-il ? Non, Taharqo avait dit que son prochain combat aurait lieu dans deux jours. Il devait se trouver dans sa tente, près de la Maison dorée. Elle n'avait même pas pensé à aller lui dire au revoir.

Des images défilèrent dans sa tête. Taharqo faisait le tour de l'arène en courant, dans une parade triomphale. Taharqo attirait la fille aux yeux verts dans ses bras. Taharqo rejetait la tête en arrière et éclatait de rire, dévoilant ses dents blanches. Il aurait peut-être besoin d'elle, un jour.

Mais pas aujourd'hui.

Nubia observa Jonathan. Dans la pénombre bleutée de la carruca couverte, elle vit qu'il regardait

droit devant lui; ses doigts éraflés lissaient doucement la tête de Tigris. Elle devina qu'il pensait à sa
mère.

C'était lui qui avait besoin de Nubia. Et Lupus,
qui était lui aussi étrangement calme et pensif. Ainsi
que Flavia, si gravement traumatisée par son épreuve
dans l'eau. Flavia dut sentir le regard de Nubia, car
elle tourna un peu la tête et leva les yeux. Les deux
filles échangèrent un sourire.

Nubia caressa les cheveux clairs de son amie
et éprouva un profond contentement quand elle
referma les yeux.

Tout irait bien, à présent. Leur petite famille
était réunie. Nubia veillerait sur eux et s'assurerait
que rien ne les sépare plus jamais. Ils avaient connu
tant d'aventures ensemble. Ils avaient survécu à
l'éruption du Vésuve, aux pirates, aux assassins et à
la peste. Et aux jeux.

En les regardant, elle sentit monter en elle une
immense bouffée de tendresse.

Flavia, les yeux fermés, avec sa respiration régu-
lière.

Lupus, tête baissée, plongé dans ses pensées.

Jonathan, qui grattait Tigris derrière l'oreille.

Et le courageux Caudex, adossé contre un mon-
tant en bois de la capote en toile, les yeux fermés.
Lui aussi faisait partie de leur étrange famille. Nubia
songea que, sans Caudex, ils ne seraient pas en

train de ramener Jonathan chez lui, auprès de ses parents.

– Caudex ? appela-t-elle doucement.

L'esclave ouvrit ses petits yeux bruns.

– Oui ?

– Comment savais-tu qu'ils jetteraient Jonathan aux bêtes ?

Caudex haussa ses épaules musclées.

– D'après Flavia, le peuple croyait que Jonathan avait allumé l'incendie. Ce genre de criminels, on les jette aux lions. Alors j'ai proposé au dénommé Fabius de jouer le rôle de Pluton.

– Caudex, tu es un héros, murmura Flavia sans ouvrir les yeux.

Caudex grogna.

– Et tu as suivi la formation de gladiateur ? insista Nubia.

Caudex hocha la tête.

– Oui. À Capoue.

Flavia ouvrit les yeux.

– Tu viens de Capoue, toi aussi ?

Caudex secoua la tête.

– Non, de Britannia. Mais j'ai été formé à Capoue.

La charrette sauta en sortant d'une ornière.

– Pourquoi n'es-tu pas devenu gladiateur ? voulut savoir Nubia.

– Je n'aime pas tuer. Je déteste le sang.

Nubia hocha la tête.

— Moi aussi, dit-elle doucement.

— C'est ce qui m'a valu mon nom, expliqua-t-il. « Tête de pioche ».

— Je me suis toujours demandé pourquoi on t'appelait comme ça… commenta Flavia.

Et elle ajouta à l'intention de Nubia :

— *Caudex* désigne une tête de pioche, un idiot.

— Pourquoi t'a-t-on appelé Tête de pioche ? demanda Nubia.

— Parce que j'ai refusé de tuer un homme.

Ils le fixèrent tous avec de grands yeux, puis, l'air désolé, Lupus agita les bras.

Nubia hocha gravement la tête.

— Lupus a raison. Tu as quand même tué quelqu'un. L'homme qui est tombé au sol. Quand tu faisais Pluton. Tu l'as frappé sur la tête.

— Mais Ganymède était mourant, intervint Flavia. Caudex a mis fin à ses souffrances.

— Malgré tout, tu l'as tué.

Ils regardèrent tous Jonathan avec surprise. C'était la première fois qu'il ouvrait la bouche depuis que la carruca était sortie en cliquetant par la porte Trigemina. Il tirait l'oreille soyeuse de Tigris entre le pouce et l'index.

— Ça a dû être dur pour toi, Caudex, continua-t-il tranquillement. Très dur.

Caudex baissa la tête.

– Oui.

– Tu l'as fait pour Jonathan, n'est-ce pas ? demanda Nubia.

Caudex acquiesça et releva la tête pour les regarder.

– Je l'ai fait pour vous tous, dit-il d'une voix bougonne. Vous êtes…

Sa voix s'étrangla.

– … comme une famille, pour moi, termina-t-il enfin. Vous êtes comme une famille.

Et, tandis que la carruca poursuivait sa route vers Ostia, Nubia sourit. Elle comprenait parfaitement ce qu'il voulait dire.

DERNIER ROULEAU

Au printemps de l'an 80 après J.-C., Titus inaugura un nouvel amphithéâtre avec cent jours de jeux. Connu aujourd'hui sous le nom de Colisée, cet immense amphithéâtre fut bâti grâce au butin et aux esclaves qu'avait rapportés la conquête de la Judée[1], dix ans auparavant. Des informations sur les jeux de Titus nous sont parvenues grâce à plusieurs auteurs latins. L'un d'eux y a véritablement assisté : Martial, tel qu'on le nomme aujourd'hui ; son *Livre des spectacles*, qui rend hommage à Titus, était sans doute une commande.

Parmi les grands moments évoqués par Martial, on trouve la parade des indicateurs, le numéro du lion et du lapin, le bestiaire Carpophorus, les femmes qui combattaient des animaux, et l'exécution soigneusement mise en scène de criminels rejouant l'histoire d'Orphée, de Lauréolus et de Léandre, lequel échappa à son sort et fut gracié par Titus. Nous savons également qu'il y avait des spectacles

1. Ancienne province de l'Empire. C'est aujourd'hui une région de l'État d'Israël.

aquatiques dans le Colisée, mais le réseau complexe de galeries, sous l'arène, ne fut ajouté que plus tard.

Des gladiateurs de tout l'Empire romain ont dû participer aux jeux de Titus. D'après les spécialistes, ils avaient établi leur camp dans la Maison dorée bâtie par Néron, pendant la durée des jeux. (L'école de gladiateurs du Ludus Magnus n'avait pas encore été construite.)

Titus, Domitien, Domitia, Julia, Sabinus et Martial ont tous réellement existé. De même que les deux conspirateurs que Titus a invités à s'asseoir auprès de lui pendant les jeux – mais nous ignorons leurs noms. Les autres personnages de ce livre sont fictifs.

C. L.

Actéon (p. 129): chasseur mythologique qui surprit la déesse Diane en train de se baigner. Pour le punir, elle le transforma en daim et il fut dévoré par ses propres chiens.

Affranchi (p. 16): esclave libéré par son maître. C'est la grande originalité de Rome par rapport aux autres civilisations de l'Antiquité. L'esclave peut toujours espérer être affranchi, surtout s'il est proche de son maître, comme domestique, ou s'il a des compétences particulières. Le pécule, formé des cadeaux ou petites rémunérations récupérées ici ou là, sert à acheter son affranchissement. L'affranchi a encore, sa vie durant, des devoirs envers son ancien maître. Mais ses enfants seront citoyens romains de plein droit. Cela permet de renouveler régulièrement la population: sans l'apport des enfants d'affranchis, Rome risquerait le déclin démographique.

Amphithéâtre (p. 31): stade de forme ovale consacré aux spectacles de gladiateurs, aux combats d'animaux et aux exécutions; l'amphithéâtre Flavien, à Rome, est le plus célèbre. Il doit son nom d'origine à ses bâtisseurs, les empereurs de la dynastie des Flaviens : Vespasien puis ses fils, Titus et Domitien. Il est aujourd'hui appelé Colisée, certainement à cause de la statue de Néron en colosse située à proximité, mais ce terme n'était pas employé à l'époque de Flavia.

Circus Maximus, ou Cirque Maxime (p. 43) : long champ de course dans le centre de Rome, au pied du mont Palatin, dédié aux courses de chars et de chevaux. Ce cirque est une des plus grandes constructions sportives du monde, longue de 621 m et capable d'accueillir jusqu'à 250 000 personnes.

Clivus Scauri (p. 277) : c'est la rue principale du mont Caelius. Elle montait, d'est en ouest, sur le flanc de la colline qui regardait le Palatin. Ses vestiges sont toujours visibles aujourd'hui.

Combat (p. 56) : les combats de gladiateurs sont très variés. Leur équipement se compose d'éléments de défense (boucliers, casque…) et d'éléments d'attaque (armes, filets…). Un mécène offre les jeux au peuple ; ici il s'agit de l'empereur. C'est lui qui choisit les gladiateurs qui s'affronteront. Ils doivent être de force, d'armes et d'expérience à peu près égales, pour que le combat soit plus long et plus intéressant. Le combat se termine généralement quand un gladiateur demande l'arrêt en levant un doigt. Son adversaire se tourne vers le mécène, qui écoute la foule. Si le public demande la mort, le vainqueur égorge son adversaire. Sinon, ils repartent vivants.

Dédale (p. 129) : personnage mythologique qui fut enfermé, par le roi Minos de Crète, à l'intérieur du labyrinthe (ou dédale) qu'il avait créé. Il se fabriqua des ailes pour échapper à sa prison.

Esclave (p. 13) : l'esclavage joue un rôle majeur dans l'Antiquité, et en particulier à Rome. La main-d'œuvre servile accomplit toutes les tâches confiées aujourd'hui aux machines et à l'électricité. L'esclave doit complète obéissance à son propriétaire. Les Romains le considèrent parfois comme un objet (on peut en faire ce qu'on veut), parfois comme un animal (il n'a pas accès aux sentiments que les hommes libres éprouvent), parfois comme un éternel enfant. Un même mot, *puer*, désigne d'ailleurs l'enfant et le serviteur. Le sort des esclaves est très variable selon leur maître, et surtout selon leur travail. En ville, les esclaves domestiques ont un destin bien plus enviable que les esclaves des grands domaines agricoles. Les enfants qui naissent de parents esclaves le deviennent automatiquement pour toute leur vie. Les esclaves ont toutefois une chance de sortir de leur condition en achetant leur liberté, en accomplissant une bonne action, ou en bénéficiant de la générosité de leur maître. On dit alors qu'ils sont « affranchis ».

Gladiateur/Gladiatrice (p. 12) : ce terme renvoie à toutes les catégories de personnes qui combattent dans l'arène, mais, littéralement, il désigne un homme ou une femme qui se bat avec un *gladius*, ou glaive, une épée courte à double tranchant. L'origine des combats de gladiateurs remonte probablement aux jeux funèbres que les Étrusques pratiquaient devant la tombe de leurs morts.

Les combats ont d'abord eu lieu au forum, puis au cirque, et enfin à l'amphithéâtre. La majorité des gladiateurs sont de vrais professionnels salariés et entraînés dans des « écoles » où la discipline est très sévère. Le plus souvent, ce sont des hommes libres, mais pas n'importe lesquels : des hommes coupables de crimes, à qui le tribunal propose de devenir gladiateurs (pour ne pas être exécutés sur-le-champ), des jeunes hommes qui aiment la gloire, la violence, ou qui veulent fuir une situation personnelle difficile (une rupture sentimentale, par exemple). Les esclaves aussi peuvent devenir gladiateurs en demandant l'autorisation à leur maître. Les gladiateurs sont souvent méprisés : ils perdent leurs droits de citoyens, et sont enterrés à l'écart. Mais paradoxalement, ils sont aussi considérés comme des héros, que les femmes admirent et que les hommes louent pour leur courage.

Isola Sacra (p. 15) : signifie « île sacrée » ; bande de terre située entre le port fluvial d'Ostia et le nouveau port de Claudius, au nord, et dont les nombreuses tombes sont encore visibles aujourd'hui.

Lauréolus (p. 96) : voleur qui fut crucifié sous le règne de l'empereur Caligula (37-41 apr. J.-C.) et dévoré par des bêtes sauvages.

Léandre (p. 129) : jeune homme qui traversait l'Hellespont à la nage pour rejoindre son amante, Héro, une belle prêtresse qui lui faisait signe depuis une tour ; il se noya par une nuit d'orage.

Néron (37-68 apr. J.-C.) (p. 11) : empereur romain, successeur de Claude, son père adoptif. Son règne débute en 54 apr. J.-C. – il a 17 ans – et se termine par son suicide, en 68 apr. J.-C. C'est un empereur tyrannique et sanguinaire, capable de tous les crimes pour consolider son pouvoir. Il aurait ainsi assassiné sa mère Agrippine, son demi-frère Britannicus et deux de ses épouses, ordonné le grand incendie de Rome, en 64 apr. J.-C., et accusé à tort les chrétiens, qu'il fit massacrer. Mais c'est aussi un homme cultivé, passionné par les arts, ennemi de la guerre et de la violence, un mécène qui encourage tous les artistes. Son immense Maison dorée, construite après l'incendie de Rome, témoigne de son amour de l'art.

Pasiphaë (p. 129): épouse mythologique de Minos, roi de Crète. Elle tomba amoureuse d'un taureau et, par la suite, donna naissance au Minotaure, monstre au corps d'homme et à la tête de taureau.

Patricien (p. 38): les familles patriciennes prétendent descendre des fondateurs de Rome. Elles sont peu nombreuses: une centaine à peine. Les patriciens ont longtemps refusé de partager le pouvoir avec les plébéiens (arrivés plus tard à Rome). Mais à force de révoltes et de conflits, ces derniers finissent par obtenir leur part du pouvoir. Il ne faut pas confondre nobles et patriciens: les Romains appellent nobles ceux dont les pères ou grands-pères ont été consuls ou prêteurs. On peut donc être patricien sans être noble, ni même riche, et être plébéien noble et riche.

Plèbe (p. 37): la classe inférieure de Romains nés libres, les gens ordinaires. Les plébéiens ont longtemps lutté contre les patriciens pour accéder aux postes de magistrats.

Retiarius, retiarii (p. 11): gladiateur qui est en général opposé à un secutor. Sur le bras gauche, il porte une manica, protection en lin matelassé ou en cuir (et rarement en métal à l'époque), ainsi qu'un galerus, épaulette métallique à large rebord qui lui protégeait la tête. Il se battait avec un trident, un poignard et un filet, comme son nom l'indique (un rets est un filet).

Rouleau (p. 17) : le livre, sous la forme que nous connaissons aujourd'hui, n'existe pas encore. Les Romains écrivent sur du papyrus ou sur du parchemin. Ces « feuilles » sont ensuite roulées sur elles-mêmes de gauche à droite (et non pas de haut en bas), formant un rouleau que l'on déroule progressivement à mesure de sa lecture.

Secutor (p. 11) : gladiateur qui combat généralement un retiarius. Il a le bras droit et la jambe gauche protégés, un grand bouclier rectangulaire, et son casque étroit et lisse lui recouvre entièrement la tête, à l'exception de petites ouvertures pour les yeux.

Secutrix (p. 195) : féminin de secutor.

Spartacus (p. 82) : originaire de Thrace, c'est un déserteur de l'armée romaine. Arrêté, il est vendu comme esclave à l'école des gladiateurs de Capoue. En 73 av. J.-C., il prend la tête d'une révolte et s'évade avec 74 gladiateurs de l'école. Les évadés sont encerclés sur les pentes du Vésuve, mais réussissent à s'enfuir. Leur troupe augmente rapidement jusqu'à atteindre 70 000 hommes. La révolte dure deux ans. En 71 av. J.-C., un riche propriétaire terrien, Crassus, les encercle. Les combats font 60 000 morts, dont Spartacus, et mettent fin à la révolte des esclaves.

Stoïcien (p. 100) : partisan du stoïcisme, courant de la philosophie grecque qui est en vogue dans la Rome antique ; ses disciples admirent la vertu morale, l'autodiscipline ainsi que l'indifférence au plaisir et à la douleur.

Titus (39-81 apr. J.-C.) (p. 32) : Titus Flavius Vespasianus, empereur romain. Durant le règne de Vespasien, son père, il conquiert la Judée. À l'issue d'un long siège, il s'empare de la ville de Jérusalem en 70 apr. J.-C., et fait détruire le temple de Salomon, temple sacré des juifs. Devenu empereur à la mort de son père, il se montre bienveillant, et plutôt libéral. Il mène de grands travaux à Rome : le Colisée, le palais impérial, l'arc de Titus. Son règne (de 79 à 81 apr. J.-C.) est de courte durée et se trouve marqué par de grands fléaux : l'éruption du Vésuve en août 79, l'incendie de Rome en 80 et une épidémie de peste.

AVANT JÉSUS-CHRIST

753: date mythologique de la fondation de Rome par Romulus et Remus.

715-509: Rome est gouvernée par des rois sabins puis étrusques.

509: Rome devient une république.

264-146: guerres entre Rome et Carthage, puissante cité d'Afrique du Nord. L'un des épisodes les plus célèbres de cette lutte se déroule en 218: avec une armée d'éléphants, le général carthaginois Hannibal traverse l'Espagne et franchit les Alpes pour attaquer les Romains.

44: Jules César, célèbre conquérant de la Gaule, est nommé consul et dictateur à vie. Il est assassiné par Brutus, son fils adoptif.

27: début de l'Empire romain.

APRÈS JÉSUS-CHRIST

1er-siècle: persécution des premiers chrétiens. Leur religion est condamnée et interdite par l'empereur.

54-68 : règne de Néron.

69-79 : règne de Vespasien.

24-août 79 : éruption du Vésuve.

79-81 : règne de Titus.

306-337 : règne de Constantin. L'empereur autorise le christianisme, qui devient la religion officielle de l'Empire.

476 : chute de l'Empire romain.

Romans et récits

BONNIN-COMELLY (Dominique), *Les Esclaves de Rome*, coll. « Milan poche Histoire », Milan, 2003.

CHANDON (G.), DEFRASNE (Jean), ORVIETO (Laura), TOUSSAINT-SAMAT (Maguelonne), *Les Héros de la Rome antique*, coll. « Pocket junior mythologies », Pocket-Jeunesse, 2003.

SURGET (Alain), *Les Enfants du Nil*, coll. « Premiers romans », Castor Poche-Flammarion, 2004.

Livres documentaires

BIESTY (Stephen), *Rome : une journée dans la Rome antique*, Gallimard-Jeunesse, 2003.

DIEULAFAIT (Francis), *Rome et l'Empire romain*, coll. « Les Encyclopes », Milan-Jeunesse, 2003.

McKEEVER (Susan), *Rome antique*, coll. « Poche Vu junior », Gallimard-Jeunesse, 2003.

MICHAUX (Madeleine), *Gladiateurs et jeux du cirque*, coll. « Les Essentiels Milan Junior », Milan, 2001.

NAHMIAS (Jean-François), *Titus Flaminius*, vol. 1 :
   La Fontaine aux esclaves, vol. 2 : *La Gladiatrice*,
   Albin Michel-Jeunesse, 2003-2004.

Bandes dessinées
DUFAUX (Jean), DELABY (Philippe), *Murena*, Dargaud,
   1991-2004.
GOSCINNY (René), UDERZO (Albert), *Astérix*, Albert
   René, Hachette, 1980-2004.
MARTIN (Jacques), *Alix*, Casterman, 1980-2004.

Tes héros dans l'Histoire

	− 3000 av. J.-C.		476 apr. J.-C.	
Préhistoire		Antiquité		Moyen

Rahan
La Guerre du feu **Flavia Gemina** *Les chevaliers*
   Notre-D

Films

Quo vadis, Mervyn Le Roy, 1951.
Ben Hur, William Wyler, 1959.
Spartacus, Stanley Kubrick, 1960.
Gladiator, Ridley Scott, 2000.

	1492	Époque moderne	1789	Époque contemporaine
ıble ronde		*Les Trois Mousquetaires*		*Lucky Luke*
Paris		*Le Pacte des loups*		*Harry Potter*

Les cartes, le glossaire, la chronologie et la bibliographie
sont de la seule responsabilité des Éditions Milan.

Achevé d'imprimer par Novoprint
en Espagne
Dépôt légal : 3e trimestre 2009